Gérard Tiberghien

Aimer
le Pays basque

Photographies : Nicolas Fediaevsky

ouest
france

L'Océan, la montagne, la maison, trois des infinis charmes basques.

INTRODUCTION

Limité au nord par l'Adour, à l'ouest par l'Océan, à l'est par les terres de Béarn, l'envoûtant Pays basque — Euskal Herri — l'est aussi par ses racines : la « race » et la langue, l'euskara. Remontant à la période préaryenne, elle s'est jouée, dès — 2000 av. J.-C., des influences indoeuropéennes, se singularisant ultérieurement par une série de subtils dialectes. C'est en fait la frontière la plus naturelle qui soit, les autres bornes ne constituant, somme toute, qu'artifices lancés par l'histoire politique et administrative. Au sud, les hommes ont tracé, entre la ria de Bidassoa, les sentinelles de la Rhune et de l'Anie, une barrière qui ne court pas forcément sur la ligne de crêtes. Franchis ces plis, passé en Espagne, voici toujours l'Euzkadi ! C'est qu'en effet sept provinces le composent ; quatre sur la gigantesque portion ibérique : Guipuzcoa, Navarre, Biscaye, Alava ; trois sur les

2 800 km² du versant français : Labourd, Basse-Navarre, Soule. Ainsi se définissent les « Sept en Un », Zazpiak bat.

L'histoire, toujours elle, séparera longtemps et diversement les destinées des trois provinces du septentrion. Passés Romains, Vandales, Goths, venus les Vascons — qui écraseront l'arrière-garde de Charlemagne à Roncevaux — les Normands pillent la contrée... En 1023, le **Labourd** est installé vicomté du duché de Gascogne. Les terres deviendront anglaises en 1154 par le mariage d'Aliénor d'Aquitaine et d'Henri III Plantagenêt, ne retrouvant la couronne de France qu'en 1451. La **Soule** est, de la même manière, érigée en vicomté par Sanche Guillaume ; seul son dernier mandataire cédera la région (1307) qui se rend suzeraine du roi d'Angleterre. Elle sera annexée au Béarn en 1449 puis deviendra française en 1620 à l'édit d'Union. La future **Basse-Navarre** fera

partie intégrante du royaume de Navarre entre les XIIᵉ et XVIᵉ siècles (6ᵉ mérindad de Ultra Puertos). Entre temps, Navarre et Béarn se rattacheront à François Fébus (1479). En 1513 les rois de Castille occupent les territoires et Pampelune ; les armées franco-béarnaises reprendront seules les contrées du nord, qui retourneront à la France. Ces trois provinces, dont le sort est ensuite lié à celui du pays, garderont néanmoins divers droits particuliers jusqu'à la Révolution. En 1790, l'Assemblée nationale créera le département des Basses-Pyrénées, rattachant administrativement Basques et Béarnais.

La personnalité de la terre euskarienne est incontestable. Plus que partout ailleurs son paysage changeant réunit toute la gamme des verts, des bleus, des safrans et des carmins, que répliquent ou multiplient les moutonnements de collines, qu'accentuent les modelés

3

des éminences. Plus que partout, le chevelu des ruisselets, les eaux vives de Nive, Nivelle ou Saison, les humeurs du ciel distribuant avec générosité humidité vernale, douceur océane, soleil, luminosité d'automne.... donnent à ce « pays fort bossu » une âme imprévisible mais harmonieuse en diable.

Dans ce monde où l'approche des montagnes dissimule plus encore d'attachantes traditions et favorise la persistance des légendes, règnent marins, fermiers ou bergers. Que son espace soit un port, un bocager prélittoral, des coteaux adoucis à bois et landes, la barrière des saillants de piémont, ou une rocaille cernée par des estives, le Bas-

que est basque et entend le rester. Avec une opiniâtreté que n'ont pas émoussée les vicissitudes de l'histoire, il est fier de ses origines, indépendant mais chaleureux, ardent défenseur de son identité culturelle, attaché à ses institutions. La leçon apportée par la plaque du fronton des Aldudes « Jouons honnêtement, toute la place nous jugera honorablement » n'est-elle pas significative ?

Ses raisons d'être ? : la maison — son etxe, personnalisée à l'extrême — et la cellule familiale aux droits légitimaires ancestraux ; l'église de son village ou de son « quartier » : la religion, le culte des morts sont indissociables de la vie quotidienne ; la fête

et le jeu, aux règles inaliénables de l'héritage traditionnel.

Le Labourd (Lapurdi), province la plus occidentale, donne les constructions « caractéristiques » du Pays basque : du moins celles qui l'ont surtout fait connaître. La façade à pans de bois y est généralisée, aux crépis constamment ravivés au lait de chaux et menuiseries repeintes de rouge sombre, vert ou brun. En Basse-Navarre (Benaparroa), qui s'appuie contre le Labourd et bute à l'E. contre la Soule, se ressent déjà l'influence espagnole. Plus riche d'aspect, l'« etche » navarraise perd en parties boisées (sauf les balcons) ce qu'elle gagne en ornementation lapi-

Paysage collinéen des environs d'Aïnhoa.

daire : ici, le grès rehausse majestueusement la façade. Avec la Soule (Zuberoa), contrée la plus élevée et accidentée, limitrophe des Pyrénées béarnaises, la maison, trapue, perd toute décoration superflue, s'abrite sous un toit pentu d'ardoises : reflets d'un accommodat à la difficile montagne et de son voisinage.

Le Basque peut paraître renfermé ; il est en réalité réceptif, convivial, et entretient un sens aigu de la fête. Elle est institution ethnique et territoriale, et l'appréhender requiert humilité et ténacité. Sens ludique et foi sont le plus souvent mêlés, à quoi s'additionne un zeste de paganisme ; mais juste ce qu'il faut pour ne pas déplaire aux mariak et laminak ! Admirez donc ces mascarades et pastorales souletines aux épisodes interminables ; ces sauteurs bas-navarrais ou labourdins, où le jeu d'entrechats n'a d'égal dans la puissance que l'agilité de la détente ; et ce cortège de Phesta-Berri, la Fête-Dieu, qui finit en théâtre bruyant et carnavalesque dans le chœur de l'église, étincelant de vieux ors, surchargé de colonnes torses et garni de bois polychromes. Autour de cet édifice multiforme — pignon à trident, fronton à courbes, clocher-forteresse, sanctuaire roman des voies de Compostelle — veillent, dans leur cimetière-jardin, d'énigmatiques et superbes stèles discoïdales, parfois frappées des signes astraux.

Aimer le Pays basque, c'est y découvrir peu à peu ses mille richesses, humaines et paysagères ; c'est s'attarder sur une maison, ne pas ignorer une chapelle isolée dans les fougères, traverser des chemins profonds perdus dans les landes, apprendre ses habitants, y retourner hors saison. Le *Ramuntcho* de Loti n'est-il pas éloquent d'invitation : « Novembre finissait, dans un tiède rayonnement de ce soleil qui s'attarde toujours très longtemps ici, sur les pentes pyrénéennes. Depuis des jours, dans le Pays basque, durait ce même ciel lumineux et pur, au-dessus des montagnes rougies de la teinte ardente des fougères... »

5

AINHOA (Ainhoa ; Labourd)
11 km N.-O. de Cambo-les-Bains

Avec ses maisons bâties de part et d'autre d'une voie unique et rectiligne, Ainhoa est le modèle parfait du *village-rue*. Cette organisation rurale peu fréquente en Pays basque, alliée à l'harmonie des habitations, en font un bourg de caractère, en totalité classé.

L'agglomération quasi frontalière fut créée par l'ordre des Prémontés au début du XIIIe siècle : Saint-Sauveur d'Urdax, en Navarre, était à deux pas de mule et les *jacquets* — pèlerins de Compostelle — parcouraient nombreux les chemins de la région.

La séduisante **église Notre-Dame** en grès ocres et violacés, rehaussée (fin XVIe), remaniée et composée de deux parties un peu hétérogènes, ne manque cependant ni d'élégance ni d'originalité (belle abside en cul-de-four). Son clocher-tour carré à cinq niveaux s'achève par une tourelle octogonale en retrait, encadrée de pyramidions et coiffée d'une flèche à pans d'ardoises (XVIIe). L'intérieur renferme les spécificités de la plupart des sanctuaires d'*Euskal Herri* : galeries de bois tourné (1649), maître-autel surélevé, retable à alvéoles ou panneaux rouge et or garnis de statuettes. Une coupole peinte à festons surmonte l'ensemble.

Les façades des **maisons** sont ici hautes, souvent étroites et jointives comme l'ordonnait l'édification des bastides. Dès lors, la place habitable se gagnait en longueur et le bâtiment se prolongeait sur l'arrière par un jardinet indispensable à la subsistance familiale. Après l'incendie de 1629 provoqué par les troupes espagnoles, le village reconstitué s'agrandira ou se modifiera jusqu'au XVIIIe siècle. Les habitations à toit très débordant s'organisent sur un rez-de-chaussée à *murs épais*, crépis ou en pierres apparentes, que surmontent les *étages à colombages* ; chaque niveau fait saillie sur le précédent. Les têtes de solives finement sculptées ou chantournées sont ici fréquentes, parfois soulignées par un balcon de bois (XVIIe) ou de fer forgé (XVIIIe-XIXe). Ces maisons (*etxe*) aux crépis toujours rafraîchis à la chaux et menuiseries repeintes de vert bouteille, rouge carminé ou brun, sont avec de nombreux linteaux historiés la fierté du village. L'un de ces cartouches (« *Gorritia* », 1662) annonce le droit de retrait lignager des héritiers, particularité mobilière et immobilière imprescriptible au Pays... et unique en France.

A 3 km S., **Dancharia** (*Dantxaria*) marque la limite de la France et de l'Espagne. Les maisons à beaux portails font face à celles de **Dancharinéa** que seule la Nivelle sépare, du moins naturellement. Les *ventas*, commerces-bazars où tout se vend, ont prospéré à cheval sur les deux pays ; ici langues française et espagnole sont jumelles, et l'*euskara* — la langue basque — que l'on parle de part et d'autre en *Euskadi* — le pays des sept provinces — n'a aucune démarcation.

A l'ouest les vallées fraîches et boisées de la Nivelle ou de l'Opalazio ondulent près d'étincelants ruisseaux. A l'est, une route forestière effleure la frontière et mène à plusieurs points de vue sur un paysage coloré dans un poétique vallonnement ; Labourd au nord et Navarre au sud confondent ici leur ancestrale identité pastorale.

La nef aux boiseries sculptées de l'église d'Aïnhoa.

Tel un bateau échoué, le VVF d'Anglet Chambre d'Amour.

Vue générale du village d'Aïnhoa.▶

ANGLET (Angelu ; Labourd)
3 km O. de Bayonne

De Bayonne (N.-E.) à Biarritz (S.-O.), rien ne sépare vraiment Anglet du grand ensemble urbain qu'est le *district B.A.B.* Pays basque et proche Gascogne s'amalgament dans cette vaste commune, cité-dortoir au centre ou zone de villégiature côtière (Pignadas, Chambre d'Amour).

Mentionnée dès 1188, la ville n'a plus guère de témoignages des siècles passés. L'**église Saint-Léon** (vers 1583) a toutefois traversé le temps en dépit de lourdes modifications (1659, 1738) : installation de galeries, retouches de gros œuvre ; les réfections du clocher firent partie de restaurations curieuses : son type *souletin* est assez ambigu en Labourd.

Plus contemporaines sont diverses réalisations immobilières qui marquent quelques styles de périodes fortes. Tels sont la **mairie** (centre, près N 10), bâti-ment 1938 néo-espagnol de W. Marcel, ou le **château de Brindos** au bord du lac aménagé, œuvre 1930 du même architecte qui conçut en outre les aménagements intérieurs. Par contre le **VVF** de la Chambre d'Amour (1970) est résolument moderne ; mais il fut décrié par certains en raison de son style ou des atteintes qu'il portait au milieu naturel. **La pignada**, forêt de résineux créée sous Napoléon III, héberge des villas somptueuses ou cossues (fin XIXᵉ, première moitié du XXᵉ), Belle Époque, baroques ou néo-labourdines. Le lac de Chiberta, le terrain de golf et l'ancien hippodrome ajoutent, dans l'éclairage tamisé des pins, un support élitiste à ces demeures.

Le **front de mer** (environ 5 km) ressemble à celui des Landes : vastes plages, cordon de pins maritimes (malheureusement dévoré par l'urbanisme) ; face à cette ligne, un océan superbe de force et d'étendue, dont les déferlantes sont l'un des atouts du *surf*, pratiqué ici depuis 25 ans. Au nord, le littoral s'effiloche sur les **plages de la Barre**, dangereuse confluence de l'Adour et de la pénétration océane. Par gros temps, de puissants rouleaux viennent s'écraser sur le sol, pulvérisant au loin les paquets de mer chargés de sable et d'écume. Aussi le **port de plaisance** (1975) s'est-il ouvert sur une courbe interne de l'estuaire où la fureur cède au calme. Au sud, le littoral s'achève contre le promontoire du phare, qui abrite une cavité célèbre : la **grotte de la Chambre d'Amour**. Elle fit en effet porter au loin le nom d'Anglet, par de nombreux et illustres personnages, de Napoléon à Edouard VII, qui lancèrent le site. La légende (faits réels ?, fin XVIIIᵉ) prétend que deux amants y périrent à marée haute. Ce porche s'était mis hors d'atteinte des pleines mers, les sables ayant viré de cap après l'avoir obturé en entier. Depuis, son déblai et l'agencement des environs (1978) ont renouvelé le merveilleux de l'endroit.

ARBAILLES (MASSIF DES)
(Arballeta ; Soule et contacts avec la Basse-Navarre)
Env. 20 km S.-O. de Mauléon

Fortin de rocs chaotiques, de plateaux déserts et de hêtraies séculaires, les Arbailles furent longtemps le réservoir de mille terreurs et sortilèges : oppressantes combes noyées de brumes persistantes, grottes, gouffres sans fond, sentiers sans but apparent et sans fin... Des êtres fantastiques hantent encore ces étendues, du moins l'affirme-t-on ! *Basa Yaoun*, l'homme sauvage aux épouvantables cris ; dragon de l'Aphoura ; *Tartaro* cyclope du Belchou ; *Mariaks* et *Laminaks* bâtisseurs de dolmens, hôtes des fissures... Les voies de pénétration d'Aussurucq à Béhorléguy, de Burdin Olatzé à Licq ou Lacarry... font sans nul doute reculer ces esprits mais ont surtout rapproché (depuis 1970) beaucoup de *cayolars* des lieux de commerce du piémont : Tardets et Mauléon en Soule, Saint-Jean-de-Pied-de-Port en Basse-Navarre. Faut-il déplorer sinon la création du moins la prolifération de ces routes-saignées (plus de 150 km !) ou se réjouir des incontestables facilités qu'elles apportent aux bergers ? Cette vocation pastorale millénaire est évoquée par la présence constante des milliers de moutons à tête noire, les *manech*, qui tracent au fil des ans leurs sentes ténues sur les croupes voisines.

Sous les pâturages ou à flanc de rochers inaccessibles, la forêt couvre deux tiers du massif ; plus de 3 000 ha sont propriété de la *Commission syndicale du pays de Soule*. Là stagne une atmosphère chargée d'humidité qui a favorisé le maintien de plantes rares. Mais ailleurs, les plateaux sont arides et la moindre source se perd rapidement dans leurs entrailles. La région de **Camou-Cihigue** (*Gamere*) par exemple est truffée de cavités, paradis pour spéléologues. Les phénomènes d'érosion se traduisent aussi par des manifestations extérieures de surface, telles les *dolines* ; l'une, près du **pic de Zabozé**, est unique en France (800 m de diamètre et 150 m de profondeur). Les premiers hommes ont habité quelques grottes de la périphérie ; leurs ornementations pariétales — figures animales ocres ou brunes — ont été datées du Magdalénien ancien par l'abbé Breuil, préhistorien de renom. Non loin de Zabozé, les **sources de la Bidouze** jaillissent du Trou du Sorcier (*Lamina Ziloa*), alimentées par plusieurs résurgences. Ce site hydromorphe et vert contraste avec les *pelouses* sèches des plateaux d'Elzarré.

Plusieurs éminences dominent l'immense étendue, d'où les points de vue sont prestigieux. Du **pic des Escaliers** (1472 m) en conglomérats sombres et ruiniformes, l'on saisit « *un des plus beaux et des plus vastes paysages de toutes les Pyrénées basques* » (Angulo). Le **pic des Vautours** (1072 m), en cal-

caire lacéré par les éléments, ouvre panorama sur les pacages, la Haute-Soule et le moyen Saison. Le **pic de Béhorléguy** (1265m) quant à lui regarde la Basse-Navarre, l'Orhi et l'Anie.

Le cœur des Arbailles a sa fontaine renommée, **Ahusquy** (*Ahuski*), où l'on venait au début du siècle, par un chemin malaisé, soigner la lithiase. A proximité d'une auberge rénovée (1971) (les « hôtels » construits de 1853 à 1880 sont depuis écroulés), cette source a été de tout temps utilisée par les Basques ; à la fin du XIXᵉ siècle, E. Reclus, médecin et frère d'un savant géographe, en fit connaître les bienfaits diurétiques au-delà des limites locales : le célèbre maréchal Harispe y avait déjà pris cure vers 1850. Ici se perpétuent, après le 15 août, les fêtes des bergers, où concours de saut et lancements de barre (la *palanka*) alternent avec d'autres jeux antiques.

Quelques petits villages sont établis en lisière S.-E. du massif inconfortable, et pour survivre regroupent leurs hameaux. Ainsi **Alcay** (*Alzai*) voisin d'**Alcabehety** (*Alzaibeheti*) et de **Sunharette** (*Zunaretta*). De rares œuvres d'art ornent leurs églises : retables polychromes, statuaire, peintures et lampes du XVIIᵉ. Au N.-E., **Aussurucq** (*Alzuruku*), garde le souvenir de Pierre de Charitte, aumônier de François Iᵉʳ, qui y construisit un manoir ; les ruines des **tours** (XVᵉ) ont longtemps veillé sur ce passage vers Mauléon.

Fronton peint sur le château XVᵉ d'Aussurucq.

En Soule, le clocher trinitaire (Aussurucq). ▶

ASCAIN (Azkaine ; Labourd)
7 km S.-E. de Saint-Jean-de-Luz

Sur écran de collines au nord et fond de montagnes au sud — la Rhune n'est pas la moindre — le berceau de *Ramuntcho* respire au rythme de la campagne basque mais sent déjà l'Océan et le *moscatel* navarrais.

La mer se gagne très vite par route ; on coupe le beau **golf de Chantaco** et ses hôtels néo-labourdins le long de la Nivelle (*Urdassuri*), autre axe de pénétration possible par embarcation. Cette voie fluviale offre l'agréable traversée des *barthes*, marécages à roseaux peuplés d'oiseaux limicoles, que l'urbanisation côtière rend plus discrets. Il reste en effet peu des mystérieux marais saumâtres de **Teyleria** et de la *ria de J. Peyré* où « *certains soirs, le soleil rouge des couchants reste en suspens sur un ciel de marine hollandaise* » ; heureusement, le fleuve près d'Ascain a conservé ce charme, que protège sa position intérieure. L'Espagne n'est pas loin, atteinte par le **col de Saint-Ignace** (3,5 km) et son train à crémaillère, ou par Herboure et le **col d'Ibardin** (16 km).

Comme d'autres cités basques, la ville a été marquée par les persécutions du chancelier Pierre de Lancre au début du XVIIᵉ siècle. Il instruisit ici procès et bûchers de sorcellerie, dont celui du curé. Pendant la Révolution, de jeunes *askaindars* désertèrent avec ceux de villages voisins ; ils protestaient contre les brimades exercées sur les habitants de Sare, qui refusaient un curé constitutionnel. Les représailles furent vives et plus de 4 000 « suspects » furent déportés. Ascain en vit ainsi emmener 162 vers les Landes, où beaucoup moururent d'épuisement. Entre-temps leurs biens avaient été récupérés par les « patriotes » ; les survivants ne purent revenir au village qu'en 1795 après la chute de Robespierre.

L'église N.-D.-de-l'Assomption (XIIIᵉ), agrandie et reprise en 1626, comporte trois galeries (fin XVIᵉ-XVIIᵉ) et un retable (XVIIᵉ ; statuaire plus ancienne). Le clocher-porche, à peine ajouré de quelques abat-son, est particulièrement massif. Accueillante et fleurie, la **place centrale** et le fronton dallé s'organisent près de maisons blanches à boiseries vertes et toits ocres encadrées de vigne-vierge ou glycines. L'**hôtel de la Rhune**, aux belles arcades et galerie bois du second étage, fut résidence de P. Loti, marin et romancier. Entre deux séjours sur la Bidassoa à Hendaye, il y écrivit *Ramuntcho* en 1897. Cette étude de caractères régionaux, assez observatrice, donne une image agréable du Pays basque mais parfois un peu stéréotypée.

Pour achever la visite on verra aussi des **maisons** à colombages, gouttereaux à redans et fenêtres à meneaux de bois. Le **pont « romain »** à trois arches, dont une centrale imposante, ne date en fait que du XVIIᵉ siècle ; l'ouvrage, cependant inscrit, fait partie de ces marques chronologiques souvent surestimées.

Quartier sud, le **manoir à tourelle d'Azkubea** (route qui monte au col des Trois-Fontaines) appartint à Johannes de Sossiondo, évêque de Bayonne de 1566 à 1578.

Chers à P. Loti, la place et le fronton d'Ascain.

Vue générale du Grand-Bayonne, avec l'hôtel de Ville-Théâtre.

BAYONNE (Baiona ; Labourd)

Clef de la Côte d'Argent au N., d'Espagne au S., évêché et sous-préfecture, ce grand port sur le golfe de Gascogne promet au visiteur une approche attachante. Bayonne s'est élevée à la jonction de l'Adour gascon et de la Nive basque, à quelques kilomètres de l'Océan. Les configurations territoriales et une position politico-géographique particulièrement ciblée ont fait de cette cité — historiquement gasconne — un carrefour convoité.

Sur le secteur occidental apparaît, aux IIIᵉ et IVᵉ siècles, la garnison romaine de *Lapurdum*, vigile de la Novempopulanie. Elle donnera son nom au Labourd (XIᵉ), la ville devenant (XIIᵉ) Ibaigune, Baiona. Elle laissera aussi les témoignages de son important *castrum*, encore debout en partie. On sait seulement des siècles qui suivirent que la bourgade fut maintes fois assaillie par les Vandales et autres pillards, les Normands n'étant pas les moins tendres ; ils y établirent leur base, dès 840, pour dominer le

pays. Une « paix » relative s'installe vers 980, qui permettra les premiers fondements du vicomté-évêché (fin XIᵉ). La ville s'agrandit, s'entoure de nouvelles enceintes, franchit l'Adour (« Cap dou Pount »). De 1152 à 1451, voici Bayonne anglaise : le mariage d'Aliénor d'Aquitaine et d'Henri Plantagenêt l'a décidé. Si l'on excepte divers épisodes guerriers liés à la convoitise étrangère (incendie du début XIIIᵉ, assauts de Gaston VII…) cette longue période fut faste et prospère : l'allégeance à l'Anglais est sans contraintes, l'octroi de privilèges constant, le commerce maritime florissant.

Après la guerre de Cent Ans, Bayonne tombe sous les coups de l'armée de Charles VII, grâce à Gaston IV et Dunois ; elle passe sous contrôle de la couronne de France. On édifie le Château-Neuf, mais on réduit les possibilités institutionnelles. Le XVIᵉ siècle sera marqué par plusieurs sièges, et un déclin économique : l'Adour s'est échappé au nord (il s'ensablait depuis le XVᵉ), le pertuis ouvrant à Vieux-

Boucau (Landes). Les travaux régionaux pour le récupérer sont vains ; le roi appelle Louis de Foix, ingénieur hors pair : il se rendra maître du cours (1570-1578)… aidé par une crue bienvenue qui projettera le fleuve sur son actuel tracé. L'expansion reprend, aidée par la protection des ouvrages de Vauban (1680). Aux pêches de haute mer s'ajoutent les coursiers qui vont ravager et rançonner bâtiments ou possessions étrangères. Ces corsaires feront la fortune de la place, aidés par les franchises de 1784 : commerce colonial, route des « isles », construction navale, embourgeoisent Bayonne.

La Révolution partagera la commune, et les événements napoléoniens n'arrangeront rien. L'Espagne refuse Joseph Bonaparte et la Constitution de Bayonne ; c'est le siège de la ville, la bataille (1813) du plateau de **Mouguerre** (5 km E.) entre Soult et Wellington. Le Second Empire va atténuer le déclin dans lequel la ville était à nouveau tombée, la révolution industrielle (*forges du Boucau* créées en 1881-83) préfigurera le nouveau dynamisme bayonnais de notre seconde moitié de XXᵉ siècle. La **Barre de l'Adour** est maîtrisée, les gros tonnages permettent exportations (soufre, céréales) et importations (phosphates, combustibles) ; le port est l'un des dix plus importants de France.

La découverte de ce qu'ont laissé ces siècles d'histoire peut s'organiser par quartiers, naturellement délimités : *Saint-Esprit* en rive droite de l'Adour ; *Petit-Bayonne* à l'E. de la Nive ; *Grand-Bayonne* à l'O. Des compléments à ces itinéraires peuvent être puisés dans « Bayonne » de P. Dubourg-Noves (Éd. Ouest-France).

Le quartier Saint-Esprit

Ce faubourg entre Adour et butte de Saint-Étienne fut étape vers Compostelle ; mais il ne reste quasiment rien de l'hôpital-prieuré. Par contre, au débouché de la place de la Gare se remarque l'**église du Saint-Esprit**, modeste collégiale gothique (XVᵉ) en partie encastrée dans des maisons et chahutée par l'intense circulation qui dépend du pont Saint-Esprit (milieu XIXᵉ). Ce sanctuaire, dû à Louis XI, de volume disproportionné mais original, montre une abside aux membrures compliquées et un chœur à voûtes carrées d'ogives joliment nervurées. Une sculpture polychrome sur bois, relatant la Fuite en Égypte, date du début du XVIᵉ siècle.

Sur le dôme ouest, la **citadelle** en étoile, austère bastion Vauban (1680) fut un modèle d'ouvrage militaire, avec *« des propriétés extrêmement avantageuses et telles qu'il n'y a peut-être pas de citadelle dans l'Europe qui en ait de si grandes ».* Sa vaste porte principale continue de surveiller le fleuve, bordé par le quai de Lesseps.

Le faubourg fut colonisé par les juifs entre les XVIᵉ et XVIIᵉ siècles, venus d'Espagne puis des possessions de Gramont (voir *Bidache*). Leur présence correspond, outre le commerce des huiles, à la diffusion du chocolat ; Bayonne s'en fit une spécialité dont l'apogée se situe au XVIIIᵉ siècle... et dont la réputation se poursuit.

Le Petit Bayonne

Les allées Boufflers — qui bordent l'Adour — le limitent au N.E., tandis que les quais rive droite de la Nive le taillent N.-S. Quatre passages entretiennent de pittoresques échanges entre ce quartier (dit aussi Bourg-Neuf) et le Grand Bayonne : ponts Mayou, Marengo, Pannecaux, du Génie. De là, les vues sur la Nive, frangée de pittoresques immeubles étroits (XVIᵉ-XVIIIᵉ), sont remarquables. Les toits plats, façades de pierre ou blanchies, volets-persiennes rouges ou verts se reflètent avec bonheur dans la rivière. Des passages à arcades (les « couverts ») supportent les bâtisses, sous lesquelles prospèrent les commerces (demi-gros maraîchers, cafés...).

Au cœur du Grand-Bayonne : le Château-Vieux.

Saint-Esprit, ancienne collégiale à voûte d'ogive étoilée. ▶
Les flèches de la cathédrale Sainte-Marie.

La porte Lachepaillet.

Le très vaste cloître accolé à la cathédrale.

A l'angle de la rue Marengo et du quai des Corsaires, le **musée basque** (fondé en 1922-24), occupe une maison marchande du XVIᵉ (« *Dagourette* »), plus tard utilisée par les Visitandines (XVIIᵉ) ; comme bien des immeubles de ce quartier, ses fondations anciennes sur pieux indiquent que le terrain fut conquis sur des zones marécageuses. Ne pas visiter ce musée des arts et traditions populaires serait une erreur manifeste ; il expose tout ce qu'il est souhaitable de connaître sur les sept provinces basques : mobilier, costumes, musique, décoration, jeux, beaucoup de salles étant organisées sur des thèmes précis ; les œuvres d'art ne sont pas absentes, complétées par une importante bibliothèque.

Flâner dans les **rues** adjacentes, mènera à observer des alignements d'arceaux (rue des Tonneliers) et des ruelles où le commerce des lards et jambons fut prospère (rue Charcutière). Et forcément l'on débouchera rue Lafitte près du **musée Bonnat** (fin XIXᵉ), gardien d'une collection d'œuvres d'art unique en France après le Louvre. Léon Bonnat (1833-1922), peintre bayonnais brillant et mondain, avait amassé sa vie durant sculptures, dessins, peintures, tapisseries, antiquités gréco-romaines, qu'il légua à la municipalité, à charge que ces œuvres ne soient pas exposées ailleurs. Citons notamment des ivoires (XIIIᵉ-XIVᵉ), 1 800 dessins de toutes écoles et époques (XVᵉ-XIXᵉ), esquisses et tableaux de Rubens, Ingres, Rembrandt, Greco, Michel-Ange...

Le **Château-Neuf**, posté sur la butte de Mocoron, prit naissance sous Charles VII (les énormes tours de 1460) mais sa construction s'étala au moins sur trente années. Érigé pour la défense de la ville — les murs ont 3 m d'épaisseur — l'ouvrage devait aussi surveiller le *Borc Nau*, la cité récemment reprise aux Anglais.... et dont on se méfiait quelque peu. Des modificatins l'ont « modernisé », pourtant son austérité reste inébranlable.

En haut : *Beauté de la dentelle gothique de pierres.*

Au centre : *La rampe et la Porte d'Espagne.*

En bas : *Les remparts XVIIᵉ protègent d'antiques tours romaines.*

Derrière cette défense, les **remparts** prennent à hauteur de la porte de Mousserolles (rive gauche de l'Adour) et, entourant le Petit Bayonne, remontent sur le pont du Génie. Totalement repensés par Vauban (1680), ils sont un excellent exemple de l'art de cet illustre ingénieur du roi. Le **réduit**, au confluent de Nive et Adour, est ruiné et son échauguette baigne dans le fleuve ; mais un agréable square permet d'apprécier l'entrée de la Ville Haute.

Le Grand Bayonne

Les limites du plus vaste quartier de la ville passent par la Nive (à l'E.), les remparts (au S.), les murailles et les allées Paulmy (à l'O.). L'Adour le borde au N. La **cathédrale Sainte-Marie**, superbe édifice en croix latine à sept travées et trois nefs, est grandiose. Ses flèches (85 m de haut) percent le ciel et signalent de très loin l'arrivée sur Bayonne. Les fondations, romaines puis romanes, ont servi d'assises à l'un des plus beaux sanctuaires gothiques du Sud de la France. Les travaux de construction débutèrent au XIIIe siècle pour ne s'achever qu'au milieu du XIXe ! C'est alors qu'on coiffa la vieille tour S. (début XVIe, gothique flamboyant) et la tour N. (gothique rayonnant). Entre-temps, la vénérable cathédrale eut à subir les ravages d'incendies (XIVe notamment), et les dégradations de la Révolution ; des portails, de nombreuses sculptures, une partie du cloître furent mutilés... Ce dernier, commencé au XIIe — un des plus spacieux connus — fut utilisé comme cimetière au XVIe, et faillit disparaître (1812, 1839) pour des causes obscures de rénovation générale ; seule l'aile nord fut rasée. Outre sa beauté, on y observe une série de tombeaux et enfeus du XIVe au XVIIIe. Les travaux de réhabilitation de la cathédrale, commencés vers 1850, continuent aujourd'hui ; de cet édifice profondément marqué par les influences de Reims et Soissons, où tant est à admirer, on peut retenir la sacristie flamboyante (XVe et XVIe) dite des prébendiers ; la sacristie franco-champenoise à double portail (XIIIe) ; les verrières (XVe-XVIe) et un vitrail

Maisons à arcades se mirant dans la Nive.

exemplaire de 1531 (chapelle Saint-Jérôme) ; la chaire en acajou (XVIIIe) et le maître-autel de marbre et vermeil (XIXe) ; un heurtoir ciselé (XVe) et de nombreuses clefs de voûte à thèmes ou armoriées… ; ce ne sont qu'infimes suggestions !

De Sainte-Marie, et non loin de la *fontaine du Pilori*, rayonnent des **rues** étroites et pittoresques, recevant à leur tour une série de voies qui sont devenues piétonnes. La *rue du Port-Neuf*, très typique, est bordée de *maisons à arceaux*, où les commerces sont nombreux et l'animation permanente. *Rue d'Espagne* s'observent de très belles ferronneries, artisanat qui fit la renommée (avec l'invention de la baïonnette) des *faures*, forgerons-armuriers d'antan ; son extrémité reçoit la *porte d'Espagne*, à pont-levis sur remparts et douves (asséchées). De belles maisons (XVIIe-XVIIIe) à croisillons et colombages ou pierre taillée s'alignent dans les rues dont la désignation s'accorde à leur fonction passée : *Vieille-Boucherie, Argenterie, Monnaie, Poissonnerie*… ; *rue de la Salie*, voir un hôtel fin XVIe (dit de Belzunce), à grand escalier et

porte d'angle décorée. La plupart de ces logis furent bâtis sur pilotis ou sur **caves gothiques** ; architecture spectaculaire du XVIe, on en a recensé près d'une centaine, dont une partie se visite (voûtes ogivales ou berceaux à brisures). N'oublions pas les cours intérieures, à lourds escaliers et verrières, avant de passer à un tour des **remparts**, dont les glacis, fossés, jardins et allées aménagés réservent d'agréables promenades ; on y remarquera des restes de l'antique **muraille romaine**, prise dans les très vieilles maisons longeant les *rues Tour-de-Sault* et *Lachepaillet* (impressionnant portail pont-levis). Quelques-unes des vingt-quatre tours du IVe siècle sont parvenues jusqu'à nous : celles *des Augustins, du Bourreau, des Deux-Sœurs*. Le boulevard Lachepaillet donne, au N.-O., au **Château-Vieux**, forteresse médiévale plusieurs fois remaniée (XIe au XVIIe), élevée pense-t-on sur les fondations du *castrum* primitif. Dans le cadre du réaménagement militaire de la ville, Vauban fit actualiser le grand corps et les tours, raser la vigie centrale. Résidence de dignitaires locaux, vicomtes labourdins, gouverneurs, rois de

passage ou en exil, le château servit maintes fois de prison, notamment à Duguesclin.

Passons par la *rue Thiers*, aux alignements de maisons bourgeoises (XVIIe-XVIIIe) ; par la *place de la Liberté*, où trône le grand hôtel de ville-théâtre (fin XIXe) dû à C. Garnier, grand prix de Rome et auteur de l'Opéra de Paris ; par le *quai Dubourdieu*, où l'ancien hôtel particulier de Brethous (XVIIIe) abrita F. Cabarrus, fondateur de la banque d'Espagne. Nombreux sont les Bayonnais qui d'ailleurs ont eu du renom : Duvergier de Hauranne (1581-1643), théologien fondateur du jansénisme, avec C. Jansénius ; Carlos de Soublette, qui termina une longue carrière politique à la présidence du Vénézuela (1843-1847) ; J. Laffitte, gérant de la Banque de France et trésorier de Louis XVIII…

Et dans ce « *morceau de grande ville, tombé par hasard dans un nid de verdure…* » (Sarcey, 1876), vous pourrez aussi participer, août venu, aux délires des fêtes traditionnelles, ou vous initier aux grandes *corridas* dans les arènes du « Nouveau Bayonne ».

Derrière les enceintes jaillissent la ville et les flèches de Sainte-Marie.   *L'un des remarquables vitraux de la cathédrale.*▶

BIARRITZ (Miarritze ; Labourd)
7 km S.-O. de Bayonne

Dans un cadre de rochers déchirés, de promontoires, de falaises marneuses, c'est la plus « folle » des villes balnéaires de la côte basque. *Plage des Rois* mais aussi *reine des Plages*, tels sont les qualificatifs que d'aucuns lui accordent. Avant d'être ce haut lieu de villégiature et image de marque du golfe, Biarritz fut un hameau de pêcheurs et paysans où l'on parlait gascon.

La cité est désignée dans le cartulaire de Bayonne (1150), puis pour autorisation de chapelain en l'église Saint-Martin. Rien ne figure auparavant qui permette de remonter à des origines plus anciennes. Et ni les industries néolithiques (cap Saint-Martin) ni les lignites (— 3200 av. J.-C.) d'Ilbarritz n'apportent d'éléments entièrement satisfaisants. « *Beiarriz* » sera d'abord un important lieu de chasse à la baleine, activité qui déclenchera des affranchissements, conflits ou redevances, notamment envers Bayonne (1315, 1342, 1355, 1582...) mais aussi avec les Espagnols et les Flamands ! Les *pescheries* vont néanmoins prendre de l'importance et un sceau (1351) en portera marque. Abondantes jusque sur le front de mer, les baleines se raréfient au cours des siècles, obligeant les *Biarrots* à pousser au grand large puis jusqu'aux lointains « *païs de la terre neuve* ». Ils y pêcheront aussi la morue jusqu'à la signature de la paix d'Utrecht : les eaux du Grand Nord leur étant interdites, les cétacés disparus de Gascogne, ce sera le début de la ruine (1745-1788). Le bourg est en outre frappé par les épidémies et l'émigration vers le Guipuzcoa ; l'embarquement des marins sur les nouveaux *coursiers* de Saint-Jean-de-Luz freinera le déclin. Peu toutefois s'installeront, une fois riches, à Biarritz. Une série de guerres et batailles va aggraver la situation : cantonnement de l'armée des Pyrénées (1792), d'Espagne (1794), occupation anglaise (1813-1814).

Mais un tournant s'amorce. Wellington découvre « *le plus joli village que l'on n'ait jamais vu* » (P. Laborde), et les *bains de mer* (pratiqués depuis longtemps par les habitants) se révèlent aux premiers « visiteurs » ; certains séjourneront ici et porteront ailleurs la nouvelle : la famille Montijo, les Montpensier, G. Flaubert, H. Stendhal, V. Hugo, riches Anglais ou Espagnols (1815-1850). La crainte de Hugo (*Carnets des Pyrénées*, juillet 1843 : « *Je n'ai qu'une peur, c'est qu'il (Biarritz) devienne à la mode [...] ; bientôt — on — mettra des rampes à ses dunes, des escaliers à ses précipices, des kios-ques à ses rochers, des bancs à ses grottes [...]* » va se réaliser de 1850 à 1870. Dès 1845, rues et logements préfigurent les grands travaux du Second Empire ; palais, hôtels, maisons de bains, casino, lieux de culte, villas (près de 300 !) sont décidés ou réalisés. La guerre de 1870-71 n'altérera en rien ce développement, qui va se poursuivre jusqu'en 1914. Aristocrates russes, bourgeois britanniques, français, espagnols, latino-américains côtoient hommes de l'art, de lettres, de sciences, ou têtes couronnées. On construit encore beaucoup, parfois de manière anarchique, souvent somptueuse. La Grande Guerre achevée, le *boom* des *années folles* démarre : fêtes frivoles ou triomphales, princes et rois, artistes (Chaplin, S. Bernhardt, Guitry, Picasso...) font le *tout-Biarritz*, qui s'enorgueillit de constructions de luxe (1920-1930). Mais à côté de ce tourisme mondain se profilent pourtant des loisirs plus démocratiques, sur fond de guerres et de récession économique ; on mettra longtemps à s'en relever. De 1930 à 1950, Biarritz s'évanouit en essayant de ne pas sombrer dans l'oubli. Depuis, l'essor a repris avec un renouvellement des potentialités touristiques. Constructions et aménagements modernes prennent place entre certains restes du passé. Cet anachronisme fait l'intérêt de la visite.

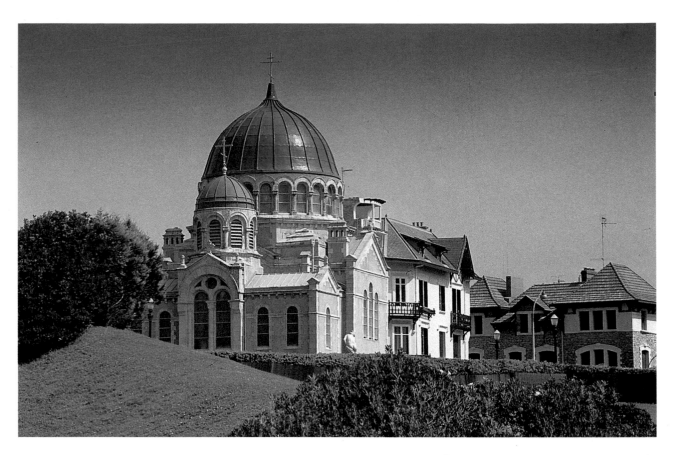

Due au prince Wolkonsky, l'église orthodoxe.

◄*Le Port des Pêcheurs et Sainte-Eugénie.*

Le front de mer

Au nord, le **cap Saint-Martin** est un promontoire battu par les vagues. Preuves les îlots qui en restent, les grottes qui le sapent. En son sommet fut construit (1834) le phare (44 m de haut, 248 marches pour accéder aux optiques). De la rotonde supérieure (70 m au-dessus de la mer) se découvrent Biarritz, les côtes basque et landaise, l'Espagne.

La **plage Miramar**, où Bismarck faillit se noyer en 1864, est enserrée entre les falaises du phare et le rocher de l'**hôtel du Palais**, ancienne *Villa Eugénie*, œuvre d'architectes bayonnais achevée en 1855. L'édifice Louis XIII en briques rouges et chaînes de pierre, résidence de la famille impériale, devint plus tard casino-hôtel (le *Palais-Biarritz*, 1894-1902). Ravagé par le feu (1903) il fut agrandi et rehaussé sur ces ruines. C'est maintenant un palace.

La **Grande-Plage** est le site le plus fréquenté du littoral biarrot. C'est une grève superbe et changeante ; quasi désert en hiver le ruban blond devient fourmilière colorée, agitée et bruyante *en saison* ; mer d'huile où seuls des ourlets grésillent sur l'estran, mer d'enfer des équinoxes et du *vent tournant* qui met en lambeaux le drapeau rouge et charrie le sable dans les rues. Au centre de cet hémicycle, le **casino municipal** (1929) est de pur style art-déco. Ce long bâtiment aux galeries extérieures noires de monde jour et nuit l'été, a remplacé le premier établissement de jeux de 1897.

Le **casino Bellevue** (une partie est aujourd'hui résidence) enracine ses lourds volumes sur le **promontoire du Basta**. Réalisé en 1857, reconstruit après incendie en 1901, agrandi en 1902 et 1928, il attirait une clientèle fortunée avide de jeux, de théâtre, concerts et lecture. A ses pieds débutent les **promenades** fleuries d'hortensias roses et bleus, allégées du plumetis des tamaris, de l'or des cinéraires, et bordées de ces curieuses balustrades en ciment faux bois fin de siècle. Ces jardins, l'un des charmes de la ville, tiennent leur exubérance de la *douceur climatique* de la côte.

Contourné le Basta, la promenade mène au **port des Pêcheurs**, dans un fouillis de pentes fleuries, face à un émiettement de brisants. Créé au début du XIXe, puis repris vers 1870 sur une série d'îlots, il remplaçait la cale défectueuse et inadaptée du Vieux-Port. Des maisonnettes blanches à toit une pente s'adossent à la falaise grège : ce sont les anciennes *crampottes* exiguës des pêcheurs.

La voie bordière, un tunnel, ou des chemins coupés de marches aboutissent au **plateau de l'Atalaye**. De ce promontoire, la vue plonge sur le port (au nord) ou le rocher de la Vierge (au sud). Relié à quelques îlots (Gamarritz), fleuri comme le reste de la côte, ce lieu de promenade avait autrefois une tout autre destination. De ce cap veillaient, en effet, les guetteurs de baleines. Le signal pour une sortie en mer se donnait par fumées du haut de tours (les *atalayes*) ;

la *humade*, où brûlaient fagots, tourbe et fougères servait en outre de fanal aux navigateurs. Le **musée de la Mer** a remplacé les vigies. Son architecture, sur quatre niveaux, et sa décoration, tant extérieure qu'intérieure, correspondent aux concepts précis de la période de construction 1932-1935. Le plaisir de la visite, dont il ne faut pas se priver, apporte une vision très pédagogique de tout ce qui touche aux milieux naturels du golfe de Gascogne. Des laboratoires de recherche dynamisent l'intérêt de ce centre.

Face au musée, l'esplanade s'achève sur le **rocher de la Vierge**, qui supporte une statue en bronze depuis 1864. Ce site célèbre est relié au plateau par une

L'océan assaille régulièrement les îlots et falaises du phare.

passerelle Eiffel (1887). Ce ne fut pas là le premier lien : un pont avait déjà été jeté en 1863, suivi du percement du *rocher de Cucurlon*, qui devait au-delà se prolonger en port-refuge (1870). L'ouvrage inachevé se reconnaît à ses vestiges écumant au ressac, élargis de l'embryon de digue où se presse la foule. Les jours de tempête, le spectacle y est permanent : d'énormes rouleaux se cassent sur les lignes d'écueils, pénètrent dans les cavités sous-jacentes. L'explosion liquide qui suit est grandiose, voire angoissante… et rares sont les imprudents qui n'en réchappent pas trempés.

La route de la corniche contourne l'anse et la **plage du Port-Vieux**. Pro-

Le très célèbre Rocher de la Vierge.

Baignade et farniente à Miramar.

tégée des vagues et du vent par ses murailles naturelles, elle attire une foule plus que dense. En son fond, un ancien établissement de bains a fait place à des boutiques. Ce premier havre baleinier d'accostage et de dépeçage était déjà inapproprié en 1697 et fut abandonné à la fin du XVIIIᵉ siècle. Plusieurs éperons se profilent encore, très entaillés par la mer ; aussi l'esplanade du Port-Vieux doit-elle enjamber ces cavités par le **pont du Diable**. Sur la dernière pointe fut réalisée la **villa Beltza** (1880-1895), sorte de château draculien à tourelles et clochetons malmenés par le vent du large. Et que dire des poussées marines lorsque gerbes et embruns enveloppent l'étrange édifice dans une lumière de cauchemar !

Cette arête franchie, les rocs déchiquetés font place à une muraille de marnes ravinées qui s'abaisse progressive-

ment jusqu'à Bidart. C'est la **côte des Basques**, dont le recul et l'effondrement partiel sont dus à des phénomènes géologiques et mécaniques, difficilement maîtrisés par de gros contreforts. La plage est fréquentée par les baigneurs, plus intrépides qu'ailleurs : c'est de la mer que vient le danger, où le ballet des déferlantes est propice aux *surfers*.

La ville et ses quartiers

L'**église Saint-Martin** est l'édifice le plus ancien de Biarritz au cœur de la ville d'origine, elle-même fondée sur le premier village dit *Bearidz* (vers 1186). Le monument gothique est de modeste apparence malgré un clocher-mur, qui servait aussi de point de repère aux marins. Attestée en 1342, l'église fut achevée au XVIᵉ siècle. Dans les travées

à arcs doubleaux, un pilier porte cartouche de restaurations (1541).

L'**église néo-gothique Sainte-Eugénie** (1898-1903) domine le boulevard Leclerc. Elle a relayé une chapelle offerte en 1856 par l'impératrice Eugénie. Les éléments les plus intéressants sont les vitraux et des orgues primées à l'exposition de 1900. Trois autres édifices religieux illustrent également le passé biarrot. L'**église orthodoxe Saint-Alexandre** (avenue de l'Impératrice et rue de Russie) est une largesse du prince Wolkonsky (1892). **Saint-Charles** (1908), néo-romane, se situe dans le quartier des Thermes Salins : elle renferme des orgues de l'atelier Cavaillé-Coll-Mutin. La **chapelle N.-D.-de-Guadalupe** (1864), avenue Reine-Victoria et rue Pellot, de l'époque impériale, est néo-byzantine ; la décoration extérieure et intérieure : briques, pier-

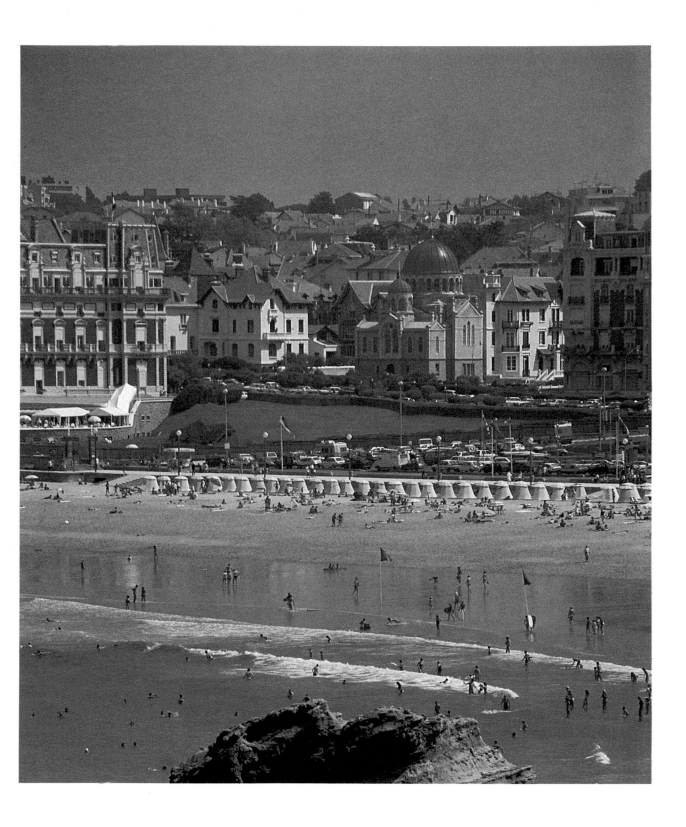

res et mosaïques, peintures sur cuivre…, due à Boeswilwald et Steinheil, est remarquable.

Il est important dans cet itinéraire de ne pas négliger les maisons particulières. La plupart, cossues, baroques, néo-régionalistes ou copies médiévales, sont disséminées dans les rues de la périphérie, mais beaucoup ont été rasées depuis une vingtaine d'années. A Saint-Martin par exemple, on peut encore voir le **domaine Gramont** (1866), bâtisse

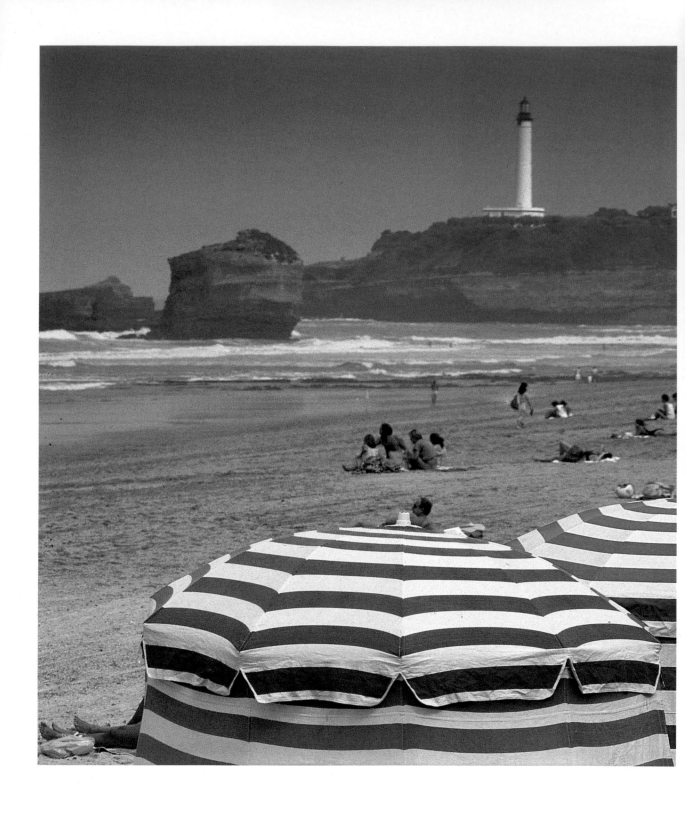

Louis XIII en pierres grises et briques, ou le **château Boulart** (1883), néo-Renaissance en pierres sombres et violacées.

L'avenue de l'Impératrice (du Palais vers le phare) et l'**avenue Reine-Victoria** (près de la Grande Plage) conservent des *villas* construites entre 1890 et 1935. Sur fond de jardins — gloires d'antan, parfois délaissés aujourd'hui ou plantés avec orgueil sur rue — se succèdent copies de châteaux, manoirs palladiens, palaces néo-basques, fausses demeures anglo-normandes, ou « vrais » art nouveau, modern style et art déco ; sans oublier — comment le pourrait-on avec leur masse — les immeubles victoriens... devenus appartements bourgeois. Vers le centre, certaines boutiques, brasseries, hôtels ou résidences (celles-ci issues de ceux-là) **avenue Édouard-VII**, **place Clemenceau** et **avenue Foch**, sont un musée d'architecture fin XIXe, début XXe. Ainsi la villa Bel-Air (1867), l'ancienne boutique Patou (1925), l'immense Maison-Basque (1927), l'hôtel Plaza (1928), les Colonnes...

On peut encore citer la **gare** désaffectée de **Biarritz-ville** face au square Forsans ; ce chef-d'œuvre ferroviaire de pierres métal et verre (1906-1911) — dont on ne sait ce qu'il adviendra — est dû à l'architecte Devaux. La visite peut (mais ne doit pas obligatoirement) s'achever sur les quartiers sud de **Beau Soleil-La Négresse**, près des lacs Marion et de Mouriscot. Ce dernier, entouré d'une chênaie et sillonné d'allées (le **bois de Boulogne**) vit en 1906 se décider l'idylle d'Alphonse XIII, jeune roi d'Espagne, et d'Éna de Battenberg, nièce de la reine Victoria.

En pages suivantes :
Sur fond de soleil couchant, la mystérieuse Villa Beltza.

◀ *Les falaises du phare.*

En haut : *L'hôtel du Palais, ancienne « Villa Eugénie ».*

Au centre : *Musée de la mer et Centre de recherches font face au Rocher de la Vierge.*

En bas : *Le Port des Pêcheurs et les fastueux immeubles du passé.*

BIDACHE (Bidaxune ; Labourd) ET LE BAS-ADOUR
32 km E. de Bayonne

Cette ancienne possession des Gramont est considérée comme gasconne par les historiens mais appartient à la terre basque ; la Révolution l'incorpora de *facto* aux Basses-Pyrénées. Le fief du XIIIe s'enfonçait en coin sur les sols de France, de Navarre et de Béarn. La seigneurie de 1409 (comté en 1563) ne prêtait plus allégeance aux rois dès ce XVIe siècle ; elle devint duché-pairie en 1648 et la paroisse principauté souveraine en 1716 : exemple d'une sévère perspicacité !

Les Gramont étaient installés à l'origine sur le territoire de **Guiche** (13 km N.-O. par Bardos) en une motte défensive, valorisée par le *bec* des rivières, porte du commerce fluvial. La forteresse n'a pas survécu entière mais les **ruines** d'une tour carrée (fin XIIIe) et de murailles défient encore l'horizon. Cruels seigneurs de ces lieux puis d'une plus vaste région, ils firent régner une domination crapuleuse et quasi absolue. Plus tard, la famille aura ministres d'État (Antoine III, en 1653) ou maréchaux de France (Antoine IV en 1724) entre autres dignitaires ; encore que les intrigantes ne manquèrent point non plus (Diane d'Andouins, maîtresse du roi de Navarre... futur Henri IV).

Le véritable **château** de Bidache ne garde de ses assises que la tour d'angle du XIVe siècle. Le reste du bâtiment actuel appartient aux XVIe et XVIIe, les constructions intermédiaires ayant en grande partie été incendiées début XVIe par les Espagnols du prince d'Orange. Il s'agit d'un ample corps en *pierres de Bidache* (ces carrières ont servi dans tout le bas Adour, jusqu'à Bayonne) axé sur un portail à gable écussonné. Les ailes s'opposent à ville et rivière au travers d'ouvertures parfois esseulées sur un

Double tympan et clef pendante, en l'église de Viellenave-sur-Bidouze.

En haut : *Le tabac fait son apparition aux confins de Bidache.*

Au centre : *Vieille ferme sur la Bidouze.*

En bas : *Les restes du puissant domaine de Gramont à Bidache.*

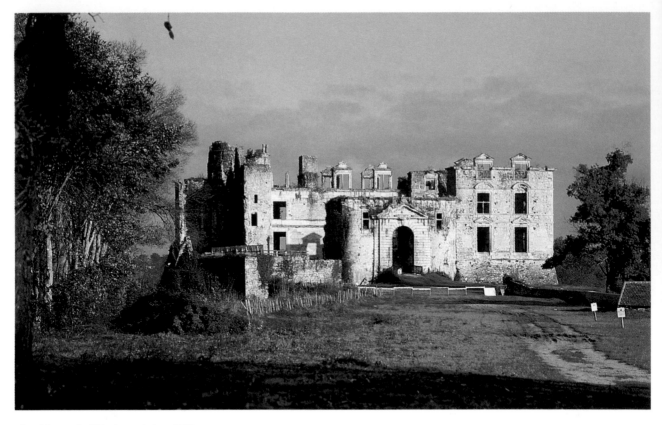

Le château de Bidache, ruiné en 1795.

comble fantôme. Cette œuvre décharnée vit pourtant les séjours de Charles X, de Catherine de Médicis, de Mazarin… Triste mais donc grandiose relique que ce château. Réquisitionnée comme bien national sous la Révolution, la demeure devint hôpital d'arrière-poste sous la Convention. Mal géré par un responsable négligeant, le domaine perdit tout son prestige dans les années qui suivirent 1793 ; l'homme, assigné en jugement, détruisit sa vie et entraîna la perte du monument en 1795 : l'un périt au fleuve après avoir anéanti l'autre dans les flammes.

L'**église Saint-Jacques** (néogothique, fin XIXe) protège le caveau des ducs de Gramont et une chapelle vouée à Vincent de Paul. Le saint homme, qui dépendait du diocèse de Dax (Landes) reçut ici l'ordination mineure en 1596.

La principauté des Gramont s'étendait au-delà de Bidache ; ainsi, près de **Came** (4 km E.) se trouve le **domaine de Grand'Maison** (env. 3 km S.-E. du village) baillage des souverains. Près de cette sénéchalerie *la Ferrerie* rappelle qu'on y pratiquait les métiers de forge : les grandes forêts de Mixe n'étaient pas loin et le minerai débarquait par voie d'eau. Au sud, une baronnie se tenait à **Viellenave-sur-Bidouze** (16 km S.-E. de Bidache), où l'**église** (XIIIe) offre un très beau tympan en double cintre à clef pendante, de type hispano-mauresque.

Plaine alluvionnaire, le **Bas-Adour** est coupé de *barthes*, marécages maîtrisés à partir du XVIIIe par un réseau de fossés, les *barades*. On y pratique l'arboriculture fruitière, les pépinières, la maïsiculture, parfois l'élevage. L'architecture rurale est une combinaison d'influences basques et landaises : le **pays de Gosse** (Landes) est à 15 km de Bidache. Si dans cette dernière, le plan de *ville-rue* et l'allure des habitations restent plutôt bas-navarraises, les fermes alentour deviennent gasconnes mais sont toujours blanchies à la manière euskarienne.

BIDARRAY (Bidarrai ; Basse-Navarre)
16 km S. de Cambo-les-Bains

A la jonction de la Basse-Navarre et du Labourd, ce bourg appartient au **pays d'Ossès** (il en fut quartier jusqu'en 1677) qui commande l'entrée des Nives. C'est aussi le proche voisin de l'Espagne par le pittoresque sillon du tumultueux Bastan (l'*Ixuri*).

Le village s'est essentiellement développé à partir du XVIe siècle ; il s'y trouve quelques belles et vieilles **maisons** (XVIIe-XVIIIe) à entrées en arc surbaissé, copieusement soulignées de cadres de pierre. Ce type de porche de forte taille ouvre sur une vaste pièce aveugle nommée *eskats* ou *eskarats*, élément original de la maison basque.

L'**église Notre-Dame**, exemple formel d'art roman majeur, ne possède plus que des vestiges de fondements (vers 1130). Retouchée ou recomposée (début XVIIe, XIXe), portail, chœur, chevet et des baies absidiales à colonnettes (art pyrénéen) d'origine sont cependant parvenus jusqu'à nous. De même que le **pont Noblia** qui saute la Nive sur cinq arches gothiques, cette église rouge et ocre est symbole d'une voie de Compostelle vers Velate par le Baztan ibérique. Dans le cimetière figurent des *stèles discoïdales* à gravures très anciennes ou chrismes plus récents.

La croyance des Basques est profonde ; le village a donc eu ses heures de courage pour la défendre. L'épisode-légende de la mort du général la Victoire (juin 1794) ou les révoltes contre la saisie des biens de l'Église sous la IIIe République restent gravés dans la mémoire des *Bidarraitars*. De même, les très anciennes cérémonies de *Phesta-Berri*, la Fête-Dieu de juin, sont demeu-

rées inchangées. Le cortège qui accompagne le dais est haut en couleurs, fantaisiste dans son plan et ses costumes, mais strictement religieux dans son esprit ; à tel point que danseurs à tabliers brodés et bonnets à miroirs ou faveurs, *volants*, *makilaris*, tambourins et autres participants poursuivent avec ferveur dans l'église leur procession musicale et chorégraphique.

Cerné par de nombreux crêts, Bidarray est un intéressant centre de randonnées. L'accès à l'**Artzamendi** (926 m) se montre assez rude mais permet une traversée de paysages prenants dans une région historiquement favorisée. Cromlechs et menhirs (— 500) y sont nombreux, survolés par les spectaculaires vautours fauves. L'**abri-sanctuaire du**

Saint-Qui-Sue (*Harpeko-saindua*), sous l'éperon du Zelaiburu, est un lieu où foi et paganisme se mêlent. Cette cavité qui suinte d'eau soulagerait les maladies de peau ; nombreux sont les visiteurs qui y accrochent des *ex-voto*, marques diverses ou cierges. Selon la tradition, le saint (*Mari*) qui veille ici prendrait parfois allure d'animal sauvage.

Dans ces étroites vallées, autrefois sentier de contrebande et chemin de la liberté pendant la dernière guerre, l'érosion torrentielle atteint son comble vers le **pont d'Enfer** (*Infernukozubia*), bâti au XIVe siècle et reconstruit début XXe. Satan, incapable d'apprendre le basque, se serait jeté de désespoir dans l'eau tumultueuse.

De cette arche du pont du Bidarray, se serait jeté le Diable... désespéré de n'arriver à parler basque !

Linteau gablé d'une entrée,

et porte cloutée d'un « eskatz », à Aïnhoa.

La teinte « sang-de-bœuf » reste traditionnelle sur les boiseries basques.

L'église romane Notre-Dame de Bidarray.

En haut : *Vue générale sur le golfe.*

En bas : *La mairie — Herriko Etxea — con*
truction de type néo-labourdin.

L'une des chapelles de Bidart : Sainte-Madeleine.

BIDART (Bidarte ; Labourd)
6 km S.-O. de Biarritz

A l'image de bien des communes de la côte, Bidart a vécu le difficile temps des chasses à la baleine comme les folles années du Second Empire à la Belle Époque.

Le passé insouciant et insensé a laissé, entre autres, la propriété que Nathalie de Serbie fit bâtir fin XIXe siècle (**villa Sacchino**), et l'invraisemblable **château du baron de l'Espée**, près d'Ilbarritz. Œuvre démentielle que ce palace 1900 pour milliardaire capricieux et fin musicien, même si beaucoup d'annexes et tunnels ont disparu !

La ville s'est développée en longueur, depuis la seconde moitié du XIXe siècle ; parfois désordonnée ou ramassée, elle garde néanmoins une authenticité bon enfant qui plaît aux vacanciers.

L'église **Notre-Dame-de-l'Assomption** (XVIe), à clocher fortifié, fut retouchée au XVIIe. Des pièces rares ou curieuses rehaussent l'intérieur : Christ en bois, retables (XVIe au XVIIIe) ; fonts baptismaux serbo-croates (don de la reine de Serbie), statue de saint Jacques en pèlerin : il y eut ici aussi une halte pour les marcheurs jacobites. La **chapelle de la Madeleine**, reconstruite début XIXe, scrute l'immensité littorale en accrochant au loin les monts basques. De cette muraille bleutée se détachent la proue du Jaizkibel et le trident des Trois-Couronnes (*Aïako-arria* ou *Haya*) en Guipuzcoa, spectaculaire au crépuscule ou les jours d'orage. La **chapelle Saint-Joseph** (vers 1751) trône sur Parlementia, tandis qu'à l'intérieur, entre N 10 et A 63, **Notre-Dame-d'Uronea** (XVIIIe) protège une source bénie. Alexandre de Serbie vint s'y désaltérer et, dit-on, y rencontra sa future femme, dame d'honneur de la reine Nathalie.

Sur le littoral se succèdent des baies coupées par plusieurs saillants. La **plage de l'Ouhabia** s'enchâsse entre deux de ces avancées, au débouché du ruisseau qui lui a donné son nom. Autrefois parcourue par son cours instable et vallonnée de dunettes herbeuses, la crique est à présent « aménagée » et par conséquent très prisée l'été.

Quelques kilomètres à l'est, **Arcangues** (*Arrangoitze*) est célèbre pour la tombe du chanteur Luis Mariano fleurie en permanence par des admirateurs inconsolables. Le village, un peu apprêté, reste cependant sympathique. La place, nappée dans la fraîcheur d'une lourde tonnelle et bordée par le fronton, devient une délicate découverte. L'**église Saint-Jean-Baptiste** (XVIe) contient sépultures et chapelle privée de la famille d'Arcangues. Un retable doré, des galeries sculptées, un grand lustre Empire, des panneaux en hautrelief, ajoutent de la majesté à ce sanctuaire. Le **cimetière**, esthétique jardin fleuri, vaut à lui seul une flânerie. On y découvre, en outre, des *stèles tabulaires et discoïdales* voisinant avec quelques tombes anglaises (1813-1814) ; on ne fit pas que se promener ici ; pourtant, la vue dégagée et bucolique sur les collines aurait dû n'inspirer que paix !

Le premier **château** d'Arcangues (1150) fut incendié pendant les guerres de 1636-1637 ; reconstruit et agrandi, Wellington y établit son quartier général (1813). Le marquis M. d'Arcangues lui substitua en 1900 l'actuelle demeure, abritée dans un parc de chênes vénérables, à l'écart du bourg.

CAMBO-LES-BAINS (Kanbo ; Labourd)
20 km S.-E. de Bayonne

Les sites paléolithiques de l'*abri Olha* et romain du *camp de César* (au S.-O.) sont probablement les racines de l'agglomération. Mais il faut plus pratiquement lier son développement à ceux du thermalisme (XVIIᵉ-XIXᵉ) et du traitement des affections pulmonaires. Mutations techniques et changement des mentalités aidant, la ville a su tirer parti, au plan touristique, de ses atouts climatiques, des attraits de son passé, et de sa situation géographique privilégiée.

Cambo a de tous temps attiré des hôtes célèbres, en raison des soins qu'on y prodiguait. Dès le XIIIᵉ siècle, l'un des Gramont vint y guérir ses blessures de guerre ; Marie-Anne de Neubourg, douairière d'Espagne, y séjourna en 1728, suivie par Charles de Secondat, baron de Montesquieu. A la charnière du curisme de haut degré et du tourisme moderne d'autres célébrités ont haussé et diffusé l'intérêt du lieu. Napoléon Iᵉʳ, Louis-Philippe, Napoléon III et Eugénie de Montijo, œuvrèrent dans ce sens. Édouard VII d'Angleterre venait prendre le thé à l'hôtel des Thermes, admirer le *pelotari* Chiquito de Cambo, et — comme Alphonse XIII, roi d'Espagne — effectuer des promenades nautiques sur « *l'eau charmante de la Nive calme et longue* » d'A. de Noailles.

La période de convalescence d'E. Rostand, frappé de pleurésie au début du siècle, fut également déterminante pour Cambo. Venu s'y soigner sur les conseils du docteur Grancher, il fut rejoint par ses amis. C'est surtout par la réalisation de sa résidence **Arnaga** (1903-1906) qu'il attira l'attention sur le site ; il y écrira *Chantecler* (1910) dans le décor des « *montagnes mauves et de la Nive bleue* ». Arnaga est construit sur le **coteau d'Ussia**, entre Cambo et Larressore. C'est une énorme villa néo-basque qui domine la Nive et fait front aux Pyrénées. Dans une vieille chênaie, la demeure est mise en valeur par un superbe jardin à la française ; le parc floral et les jeux ou plans d'eau mettent aussi en relief un pavillon à pergola (inspiré de Schönbrunn) et une orangeraie. Le **musée** renferme, en un cadre feutré et presque familial, des souvenirs de l'écrivain-académicien.

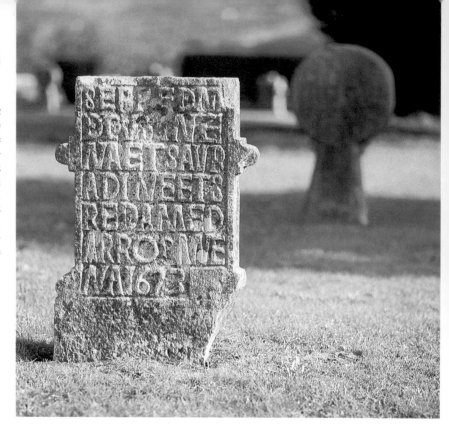

Stèle tabulaire de 1673.

En haut : *Trois étages de lourdes galeries emplissent la nef de Saint-Laurent.*

En bas : *Aimées par E. Rostand, la Nive bleue sur fond de montagnes mauves.*

Revenons à la ville, où le **Haut Cambo** romantique s'accorde à l'ambiance paisible qui y règne ; un très beau **belvédère** surplombe la rivière et son cours champêtre, face à une mer de coteaux et au mont Ursuya.

L'église Saint-Laurent (XVIᵉ) a toutes les caractéristiques régionales, modèle même de l'*église « théâtre »*. Le superbe retable (XVIIᵉ) en bois doré abrite notamment, entre colonnes torses à grappes de raisin, le *martyre de saint Laurent*, œuvre de Le Sueur. Autrefois supportées par des jambes de force, les galeries moulurées et patinées sont à présent soulagées d'une partie de leur poids par des poteaux. Le porche dont le mur arcade se prolonge sur un clocher octogonal a été remanié en 1874-76. Une pietà restaurée supporte sur son bras *gauche* la tête du Christ. La statue de saint Léon est un don de la Reine M.-A. de Neubourg (1728). L'ancien cimetière est devenu pelouse émaillée de discoïdales et croix sculptées (XVIIᵉ et XVIIIᵉ), qui voisinent avec de rares stèles tabulaires, plus spécifiques du Labourd.

Le **Bas Cambo** offre, à quelques centaines de mètres du haut bourg, le cachet d'un vieux village aux maisons pimpantes et fleuries. C'est là que les *batelets* venant de Bayonne pouvaient aborder : ces chalands très étroits, menés par un seul homme, transportaient marchandises et passagers.

Le **quartier des Thermes** garde souvenir de la bataille entre les armées de Soult et les Espagnols de Mina, pour conserver la libre circulation sur la Nive. Le calme revenu, ses futaies furent un lieu de promenade sous le second Empire ; on s'y repose encore, entre deux séances de soins : les eaux y traitent affections respiratoires ou articulaires. Mais croit-on aujourd'hui à la tradition qui supprimait toute maladie une année durant à ceux qui buvaient l'eau de la source la nuit de la Saint-Jean ?

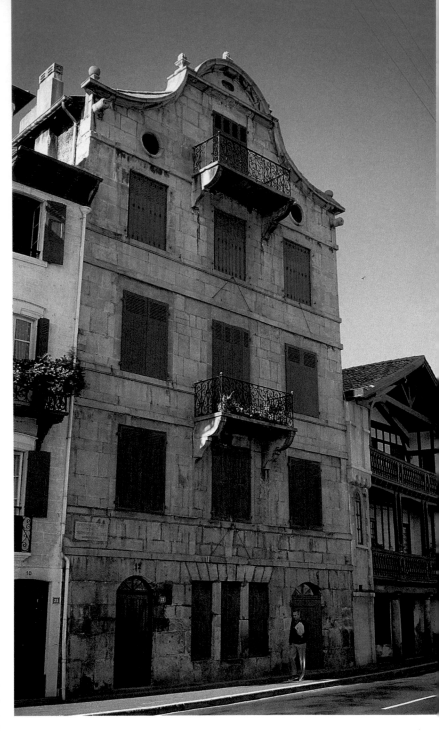

Dans cet édifice de style hollandais (XVIIIe) naquit M. Ravel

CIBOURE (Ziburu ; Labourd)
Sortie O. de Saint-Jean-de-Luz

Seul un pont sépare Saint-Jean-de-Luz de Ciboure, plaisant village-port dont les maisons se reflètent sur l'étal de la Nivelle et de la mer. Estuaire et ouverture sur le golfe ont souvent uni les destinées des deux cités, mais tous les points ne sont pas forcément communs. Ciboure est née de sa séparation avec Urrugne (1574), et les bateaux de plaisance sont à cette « *tête de pont* » ce que les bâtiments de pêche sont aux quais luziens.

Le bourg s'étage sur une très verte colline, où des maisons néo-labourdines s'implantent près des vieilles constructions (XVIIe-XVIIIe) apanage de la ville ancienne. Sur le **quai Ravel** la maison natale du compositeur (1875-1937) est fort connue : haute façade XVIIIe tout en pierre de taille, balcons à volutes de fer forgé, pignon flamand à courbes, contrecourbes et œils-de-bœuf. D'autres belles maisons, plus régionales, s'alignent sur cette costière créant un support idéal pour marines. En agglomération le choix est donné entre tous les modèles d'habitations ; façades de pierres, colombages à encorbellements, chais et cidreries, logis discrets des ruelles de pêcheurs ou du quartier *cagot* (ces réprouvés frappés de tous les interdits), demeures plus connues des *coursiers* (XVIe au XVIIIe), des mareyeurs, résidences d'artistes disparus ou contemporains.

L'histoire de ce port est forte, entre autres circonstances, du soulèvement des Cibouriennes et Luziennes. Ces féministes du XVIIIe portèrent revendications près des États Généraux de 1789, demandant leur participation à la préparation des réformes « *liées au sexe* ». L'équipée dramatique du « *Chamois* » fut l'affaire d'octobre 1867. Ce cotre serait resté dans l'oubli si son naufrage n'avait concordé avec celui des royaux passagers qu'il portait. Eugénie de Montijo (toujours elle !) et le prince impérial auraient en effet laissé leur vie au large, sans l'aide de marins *ziburutarrak* dont certains périrent pour les sauver.

L'**église Saint-Vincent** a servi d'ouvrage défensif (1575) puis fut peu à peu modifiée (surtout fin XVIIe, début XVIIIe). L'accès, sur un parvis dallé, passe par un portail Renaissance face à une croix de grès (1760). Le clocher octogonal en pierres, surmonté de lanterneaux en bois rouge et de couvertures d'ardoises à pans, est des plus originaux. L'intérieur est superbe : trois étages de galeries sculptées sous un berceau lambrissé (restauration XIXe) ; porte des *cagots* et des *cascarots* (gitans « *maudits de Dieu et possédés du démon* » venus d'Espagne vers le XVIe siècle) ; retables, autels à colonnes, tableaux et grille forgée provenant de l'ancien **couvent des Récollets** (entrée du bourg). Cet édifice (XVIIe) couplé avec l'église Notre-Dame de la Paix occupera dès la Révolution des missions peu sacerdotales : dépôt, prison, garnison, usine, bâtiment administratif... Non loin, les couvertures d'usines sont la tenace marque industrielle de

Le fort garde toujours l'entrée du port de Socoa, aujourd'hui plaisancier.

Une passe sépare Saint-Jean-de-Luz de Ciboure.

Ciboure : la *conserverie* (thon, sardines).

Au faîte de la colline s'élève la **tour de Bordagain**, octogonale comme le clocher de l'église, comme elle, poste de surveillance (XIVe). Une **chapelle** y est accolée.

Le quartier de **Socoa** (*Zokoa* ; 2 km au N.) est établi entre le débouché de l'Untxin et les premiers rochers dressés de la falaise (*les Criquas*) où l'on appareillait pour la baleine.

Une petite **plage** en croissant et un **port plaisancier** animé et coloré attirent de nombreux estivants. Le môle se finit sur un puissant **fort** (1627) près de la cale existante. L'ouvrage et ses multiples rajouts ne furent terminés que cent vingt ans plus tard. Parfois attribuée à Vauban — qui réalisa seulement améliorations et levées secondaires — la construction est d'un architecte militaire de la fin du règne d'Henri IV. Malgré la **digue**, entreprise en 1785 et terminée sous le Second Empire et la Troisième République (avec l'*Artha* au centre, *Sainte-Barbe* à l'E.), l'Océan poursuit ses colères sur Socoa. La jetée, pourtant doublée de blocs cyclopéens, doit être constamment réparée. Au-delà, la route de la **corniche** s'étire jusqu'à Hendaye : c'est un circuit de toute beauté à ne pas manquer.

ESPELETTE
(Espeleta ; Labourd)
6 km E. de Cambo-les-Bains

Par Ustaritz au nord ou Cambo à l'est, la descente de **Basseboure** vers la vallée du Laxia ouvre la meilleure vue sur le village. Son caractère labourdin est indéniable et l'ensemble s'incorpore à l'écran de collines où prés et bosquets se font concurrence. Point (ou si peu) de buis, arbuste qui aurait donné son nom (*ezpela*) au bourg !

La fonction de place féodale a gravé en Espelette des signes spécifiques, telle la protection avancée du puissant et rude **château**, grand bâtiment quadrangulaire à tour ronde. Des restes de fossés et ouvrages de soutien complètent ce qui appartint à la seigneurie des Espeletta, attestée en 1059. Cet ouvrage militaire (aujourd'hui *hôtel de ville*) était épisodiquement habité. Les maîtres avaient divers intérêts en Espagne, ce qui ne tarda pas à créer des choix conflictuels, surtout lorsque les royaumes s'affrontèrent (1624). Par arrêt du parlement de

Bordeaux (1637), les biens seront confisqués, et le château sera sinistré par les *espeletarak*. Ils furent condamnés à le reconstuire sur requête d'une descendante, mais la dette ne fut acquittée qu'en 1670 ; les villageois reprendront possession de tous les titres en 1694 grâce à la dernière héritière, Doña-Juliana Henriquez. Les magistrats d'Espelette eurent dès lors valeur de barons jusqu'à la Révolution.

L'église Saint-Étienne (1630), sur l'une des deux hauteurs, montre un clocher-porche Renaissance et une nef qui s'appuie sur de gros contreforts. Elle renferme trois étages de galeries ; une esthétique chaire à panneaux ; un splendide retable baroque doré à colonnes torses et alcôves garnies de saints et scènes pieuses (XVIIe).

L'animation dans le **village**, lieu et nœud d'excursions, mais aussi de marchés (lettres patentes de 1721), s'accommode bien de son aspect coquet et coloré ; les maisons fleuries, l'alternance des boiseries vertes ou rouges et des pierres de taille en font une déli-

cieuse bourgade. Aux *foires* d'hiver et de printemps (agneaux) s'ajoute un **marché aux chevaux** réputé (janvier), connu dans tout le pays. Il s'y négocie notamment la vente des chevaux *pottok* blonds ou pie, demi-sauvages qui courent des pentes de la Rhune à celles de Louhossoa le reste de l'année.

La culture des *piments d'Espelette* est un sacerdoce local, fêté en octobre. Des champs alentour provient en automne ce « *petit fruit infernal* » qui va enflammer les façades blanches des maisons… puis le gosier du consommateur. Séché en guirlandes, le piment vert-brun puis rouge vif sera prêt à relever jambons, piperades, omelettes, *tripotx* (boudin de veau), *atxoa* (hachis de veau), *bakalao* biscaïenne (morue)… « *La plus grande fierté basque, c'est d'avaler sans sourciller du piment rouge… d'un air entendu et mystérieux…* » s'étonnait F. Jammes ; lequel s'effrayait de « *la flamme qui leur (ses amis) montait à la face… le supplice de la damnation semblant les embraser…* »

Les collines de Guéthary pénètrent la mer.

◄*Plafond décoré et chaire ornée sur muraille de galeries dans Saint-Etienne-d'Espelette.*

GUÉTHARY
(Guetaria ; Labourd)
6 km N. de Saint-Jean-de-Luz

Entre *Elizaldia*, près de la N 10, et la jetée promenade, l'agglomération dévale la falaise de maisons en jardins et de ruelles en replats. Ici séduction rétro et animation balnéaire coexistent sans heurts. L'extension s'est faite en douceur, mais avec une juste vision des réalités touristiques.

Les vues sur l'Océan ou l'Adour s'apprécient depuis les nombreuses terrasses ou allées du front de mer ; les massifs de verdure et de fleurs — hortensias, tamaris… — y assurent un calme propice. La même tranquillité se ressent sur les petites criques sableuses entrecoupées et protégées par des bancs rocheux et un **port** de poupée, d'où les

barques sont remontées par un cabestan ; la vente de la marée s'y effectue directement.

Guéthary a légué aux flots sa contribution en corsaires, baleiniers et terresneuvas ; elle a également accueilli les pèlerins de la *Route Basse* de Compostelle. Des faits de mer et guerres coursières ne subsistent guère que les dalles patinées de la rampe de pierre du vieux port. Des hommes de prière, l'on connaît la localisation du relais jacobite et quelques manuscrits… La paroisse remonte au XIIe siècle, mais l'**église Saint-Nicolas** fut remaniée au XVIIe puis au XIXe (clocher-porche). Les galeries boisées et des pièces de retable font l'ornement de la nef et du chœur ; mais une antique *croix de procession* (XVe ; clochettes plus récentes) reste l'attribut le plus curieux.

Avec la petite ville on se doit enfin d'évoquer P.-J. Toulet, poète de la *douceur des choses* et maître du *groupe des fantaisistes*, mort ici en 1920, après une vie plutôt ténébreuse et libertine. Dans une maison cossue, un petit **musée** (1985) contient statuaire, lithographies et peintures.

Ahetze (*Ahetze* ; 5 km S.-O.) conserve dans l'église à campanile-fronton une autre curieuse *croix de procession* (XVe siècle) habillée de feuilles d'argent sur bois, et médaillons-clochettes ; agitées aux Rogations, elles étaient censées protéger les semailles des intempéries. Bien sûr, Pierre de Lancre, rendu furieux par l'« infection » des sorcières en Pays basque (où n'a-t-il horriblement sévi ?) lança l'inquisition contre ceux du village : « *Leurs croix sonnent et leurs prêtres dansent, et sont les premiers au bal.* »

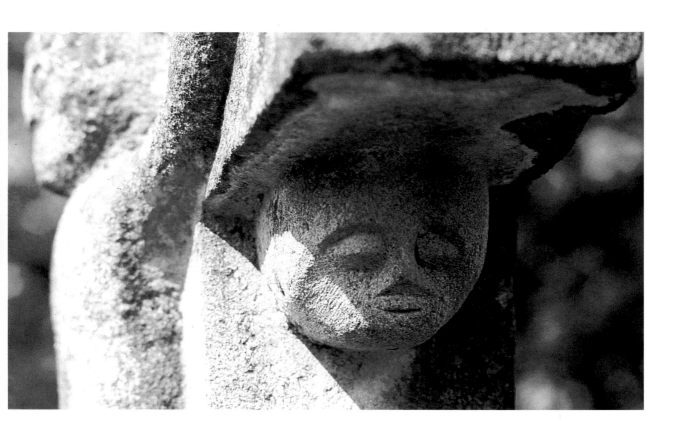

Croix-jalon d'Ascombéguy.

Les croix de Gamarthe (haut) et d'Irissary (bas).

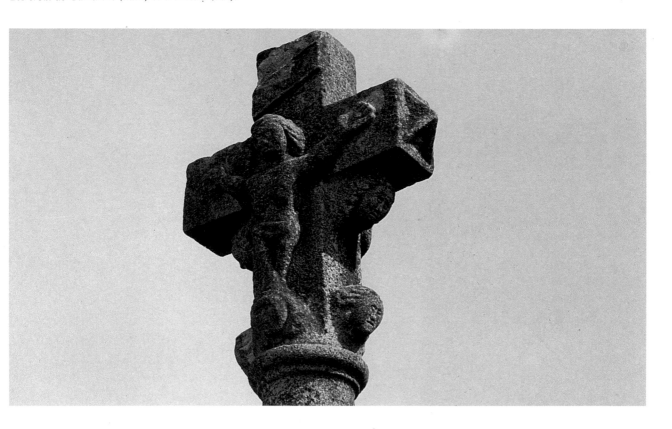

HASPARREN
(Hazparne ; Labourd)
25 km S.-E. de Bayonne

Isolé dans une très vaste région de bois, de landes et de monts où l'éclatement territorial est net, ce chef-lieu de canton reste malgré tout un carrefour géographique et commercial. L'on vient de loin pour y trouver ce qui permet de vivre et de travailler de retour aux *quartiers*.

Les **landes**, quasi désertes, ne sont guère traversées que par la route qui mène à Briscous, ou par de rares voies secondaires. Vivement colorées à l'automne par l'or des fougères-aigles et le vert sombre des ajoncs, ces collines préfigurent les crêts du sud. Par grosses taches, les chênaies septentrionales n'ont pas cédé place à ces actuelles *touyas* parcourues par les chevaux et brebis venus d'*en haut* passer la mauvaise saison. La **route impériale des cimes** (route Napoléon, 3 km O. du centre) rejoint Bayonne par crête. Elle culmine dans le *bois de Faldaracon* (176 m). Décidée pour raisons stratégiques par Napoléon Ier, cette voie qui relie l'Adour à Saint-Jean-Pied-de-Port est devenue un bon itinéraire touristique.

Le point fort de l'**église Saint-Jean-Baptiste** (1875) est la *stèle romaine* (IIIe siècle ap. J.-C.) scellée sur un mur extérieur. Son texte latin y décrit l'affranchissement ethnique des neuf peuples du sud de la Garonne dont la réunion constitue la *Novempopulanie*.

Le temps des légions a passé. Les collines voient s'installer les seigneurs de Sault au château d'**Urcuray** (*Urkoi*) [XVIe-XVIIe] entièrement ruiné fin XIXe. Ces féodaux, aux droits exceptionnels en dépit de l'allodialité du Labourd, auront une haute influence locale. En 1784, c'est la *révolte des femmes* ; elles manifestent contre les projets de rétablissement de la gabelle et ne sont contraintes au silence qu'après harangue du curé et quadrillage de la ville par les soldats. Dans le même temps, Fausto et

En haut : *Ici vécut le poète F. Jammes.*

Au centre : *Croix et stèles peintes du XIXe.*

En bas : *Le retable doré en l'église d'Hélette.*

Juan d'Elhuyar, nés dans une ferme des environs (qui serait encore debout) découvrent le tungstène (1783). Et l'abbé Diharce de Bidassouet est l'un des premiers à rechercher l'origine de la langue basque vers la Sibérie. Ses écrits (1825) parfois erratiques n'en restent pas moins intéressants à divers titres.

Rien de particulier n'apparaît en ville concernant le passé *manufacturier*, démarré par des tanneries familiales (XVIIIᵉ) puis très développé depuis la fin du XIXᵉ avec la fabrication des chaussures. L'activité, en déclin depuis une vingtaine d'années, combinait avec bonheur artisanat, industrie régionale et maintien à la terre : beaucoup des ouvriers étaient aussi fermiers.

Hasparren prend allure de petite ville sans en développer les erreurs. Elle est bien labourdine par son modelé, ses couleurs, son fronton, ses rues paisibles ouvrant sur une campagne contiguë. Peut-être cela a-t-il décidé le poète-romancier F. Jammes à établir, maison « *Eyhartzia* », sa résidence préférée (1921-1938). Celle-ci, au cœur du jardin public ombragé, a été transformée en **musée** du « Patriarche ».

HELETTE
(Heleta ; Basse-Navarre)
ET LE PAYS D'ARBEROUE
(Arbela)
13 km S. d'Hasparren

L'Arbéroue (ancienne vicomté du XIᵉ) est ce pays individualisé de communes limitrophes du Labourd. Le paysage offre un modelé assez confus de terres anciennement défrichées ; encore rongée par l'écobuage, la lande a reconquis les sols maigres après d'intenses déboisements où çà et là, de grosses fermes se sont installées.

Helette s'est développé dans un relief de collines, elles-mêmes ceinturées de dômes plus hardis : Baïgura, Garralda… L'intérêt de plusieurs **maisons** du bourg tient à leur architecture lapurdo-navarraise ; les colombages, notamment, y sont assez partiels, mais les linteaux sont généralement bien armoriés. L'**église Notre-Dame** (XVIIᵉ) qui siège en tête a gardé dans le cimetière contigu quelques stèles mais surtout des *croix peintes* (début XIXᵉ) fort caractéristiques.

Si l'hiver voit se dérouler le traditionnel *marché aux chevaux* (novembre, mars), l'été est l'époque de la *Fête-Dieu* qu'une vingtaine d'autres communes basques ont le privilège d'organiser. Cette rare manifestation, empreinte d'une convivialité exceptionnelle, remonte à la nuit des temps.

Aux pieds du village de **Saint-Esteben** (*Donestiri* ; 11 km S.-E. d'Hasparren) serpente la rivière d'Arbéroue, à limons propices au maïs. Le bourg est éclaté en pâtés de maisons ; l'**église Saint-Étienne** (XVIIᵉ) à l'abside polygonale se trouve à l'écart du centre, sur la route qui mène à Bonloc. Son clocher-fronton à courbes contient deux loges à cloches de taille disproportionnée. Cinq corbeaux moulurés semblent y attendre les restes d'une échauguette oubliée. Près de **maisons nobles** (« *Jaureguia* ») tout en pierres, le minuscule cimetière garde encore de très vieilles stèles (1704) de grande taille, et de fortes croix (1692) joliment gravées et pommetées.

Quelques maisons trapues dans un environnement paisible, des monts arrondis jusqu'au plus lointain et la présence de bergeries définissent d'emblée la vocation d'élevage d'**Isturits** (*Isturitze* ; 4 km N. de Saint-Esteben). A 3

Notre-Dame d'Hélette.

km au sud, voici **Saint-Martin-d'Arberoue** (*Dona Martiri*) dont le fronton dessert d'un côté la place, de l'autre la cour de l'école. Mais la renommée du village et de ses environs tient au considérable réseau de salles et galeries creusé dans le calcaire du *Gastelu* par la rivière. Ces **grottes**, dites *d'Isturitz* et *d'Oxocelhaya*, classées monument historique, sont aménagées. Les premières fouilles *d'Isturitz* remontent à 1913 ; auparavant, seul le guano y était exploité. Occupées pendant des millénaires (— 50 000 à 10 000 av. J.-C.), elles ont livré un trésor préhistorique impressionnant qui va du *Moustérien* à l'*Azilien* : gravures pariétales et sur ossements, pointes de flèches et de harpons, dents percées, bâtons sculptés... Le secret de l'étage le plus inférieur, jusqu'ici bloqué par un siphon, a été percé en 1973 ; les chercheurs y ont mis à jour un gisement *magdalénien* avec des gravures de chevaux à licol (domestication ?). Découvertes en 1929-1930, les grottes *d'Oxocelhaya* (*Otxozelaia*, le plateau du loup) communiquent avec les précédentes par une galerie et un escalier ; elles sont remarquables par leurs concrétions en franges, draperies, piliers, et autres sculptures naturelles élaborées durant des milliers d'années.

A **Méharin** (*Mehaine* ; 6 km E. de Saint-Esteben) le mont Aborroté sert de décor au beau **manoir** Renaissance auprès duquel sont groupées quelques fermes bien typées, à porcherie-poulailler attenant à l'habitation. Ce château (XVIᵉ), fiché sur le haut du village, est flanqué d'agréables poivrières, et son entrée fait face à un grand escalier qui ne manque pas d'allure. Ce fut la résidence provisoire de l'épouse morganatique de Don Carlos après les combats de 1834.

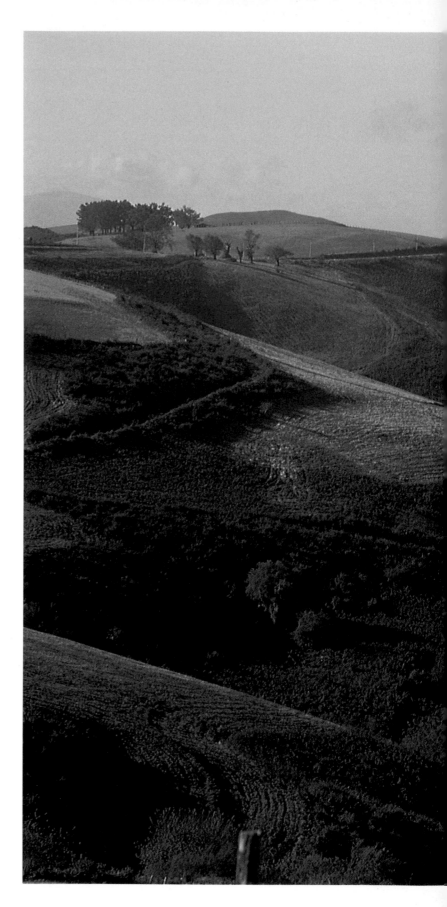

Landes prenantes et profondes, vers Isturits.

Séparés du continent par la fureur océane, les « Deux-Jumeaux », près d'Hendaye.

Vue générale au cœur de la ville.

HENDAYE (Endaia ; Labourd)
32 km S.-O. de Bayonne

En vis-à-vis de Fontarrabie (*Fuenter-rabia*) et du cap du Figuier (*Cabo Higuer*) que seul l'estuaire de la Bidasoa sépare de la France, Hendaye est l'ultime station balnéaire de la côte basque. C'est une cité tricéphale, faite d'un mélange de constructions XIXᵉ (casino « *mauresque* » de 1882), de maisons néo-basques de l'entre-deux-guerres, et d'habitats plus classiques. Énergiquement tournée vers le tourisme côté Océan, nostalgique en son centre, la ville est une clef frontalière par sa gare et son pont internationaux.

Le **front de mer** est fréquenté sur ses deux kilomètres : douceur et régularité des lignes de vague, infime pente, sables fins, en font une station familiale. Vers l'est, la côte se relève sur les **falaises** des Deux-Jumeaux (*sic*), pointe Sainte-Anne et hauteurs de Loya, rochers stratifiés couverts d'une lande à fourrés. Sur cette avancée domine le **château d'Abbadia**, néo-gothique (style XVᵉ) dessiné par Viollet-le-Duc et ses élèves (1862-1870). L'édifice découpe ses tours rondes à clochers pointus et de grands créneaux sur fond de ciel et palmiers. Propriété du comte A. d'Abbadie d'Arrast (1810-1897), explorateur astronome (ami d'Arago, de P. Loti, de Napoléon III), elle fut léguée à l'Académie des sciences. La décoration intérieure est superbe et le mobilier riche en pièces *troubadour* et œuvres d'art.

La ville ancienne fut active près de l'**église Saint-Vincent**, plusieurs fois endommagée (XVIIᵉ, début XVIIIᵉ) et réaménagée. Une croix cyclique (XVIIᵉ) mène plus à des évasions ésotériques (astres humanoïdes, lettres) qu'à la prière. Par contre, les œuvres religieuses (XIIIᵉ, XVIᵉ, XVIIIᵉ) sont l'ornement de la nef, du chœur et des chapelles.

La **baie de Chingoudy** face à la marina espagnole abrite ports de pêche et de plaisance ; il y a encore vingt ans, micro-dunes et vasières, riches en oiseaux, s'y disputaient les délaissées. La **Bidassoa** (« *la grande rivière* ») trace frontière sur dix kilomètres, depuis les monts d'Acozpe au sud. Lent et glauque, le cours est d'importance stratégique. En effet, prétexte à pactes, combats et rivalités séculaires, s'y déroulèrent : la libération de François Iᵉʳ (prisonnier de Charles Quint) en 1526 ; l'échange (en 1615) d'Élisabeth de France — fille d'Henri IV — et d'Anne d'Autriche — fille de Philippe III — pour leurs mariages respectifs ; les pillages (1636, 1639) de la guerre de Trente Ans ; le traité de 1685 pour les droits d'ancrage ; les interdits de navigation de 1715 et 1786...

A hauteur de **Béhobie** (*Behobia*),

dévoré par le trafic international après avoir été paisible quartier d'Urrugne, se trouve l'**île de la Conférence**, ou *des Faisans* ; V. Hugo y passant en 1843 en dira : « *point de faisans dans l'île ! Cette vache et trois canards représentent les faisans ; comparses loués sans doute pour faire ce rôle à la satisfaction des passants...* » Savait-il que le nom dérive du terme de *faceries*, les protagonistes étant les *façants* ? L'île a été le cadre de nombreuses négociations. On se rappellera celles de 1659 entre Mazarin et Don Luis de Haro, qui aboutirent au traité des Pyrénées, aux contrats de mariage entre Louis XIV et l'infante Marie-Thérèse. Et pourtant le tracé de la frontière ne sera définitif qu'en 1856 ! Le banc indivis, « *pas plus grand qu'une sole frite* » (Th. Gautier), n'est que peu entretenu. Depuis 1901, le droit de police appartient chaque semestre à l'un des pays riverains.

Bien sûr, des **fortifications** protégeaient la frontière. L'une d'elles (il n'en reste que quelques marches et demi-échauguettes près du monument aux morts) avait été édifiée par Vauban en 1686. L'ouvrage devait être rasé en 1793 par les armées espagnoles de Don Ventura Caro.

Hendaye est patrie du dernier corsaire basque, Pellot (1765-1856). Réputé pour son courage, sa vivacité et s[es] idées, sa tête fut longtemps mise à pr[ix] pour une somme fabuleuse ; ce qui [n']l'empêcha pas d'être décoré de [la] Légion d'honneur en 1843 et de mou[r]rir dans son lit à 91 ans. C'est ici aus[si] que le romancier P. Loti fréquenta [la] villa « Bakar Etchea » de 1891 à 18[91] et de 1895 à 1896 pendant ses foncti[ons] de commandant de base de la Bidass[oa] (officier Julien Viaud), puis sur sa f[in] (1923). Les paysages de cet arrière-pa[ys] l'ont-ils aidé, avec ceux d'Ascain, [à] rédiger *Ramuntcho* ? C'est possi[ble] puisqu'il découvrit « *seul, à ce po[int] extrême où finit la France... l'âme [du] pays basque...* »

En haut : *Activité ancestrale basque, la pêche.*

En bas : *Le château observatoire d'Abbadia, sur la cornich[e]*

La côte basque, paradis des surfers.

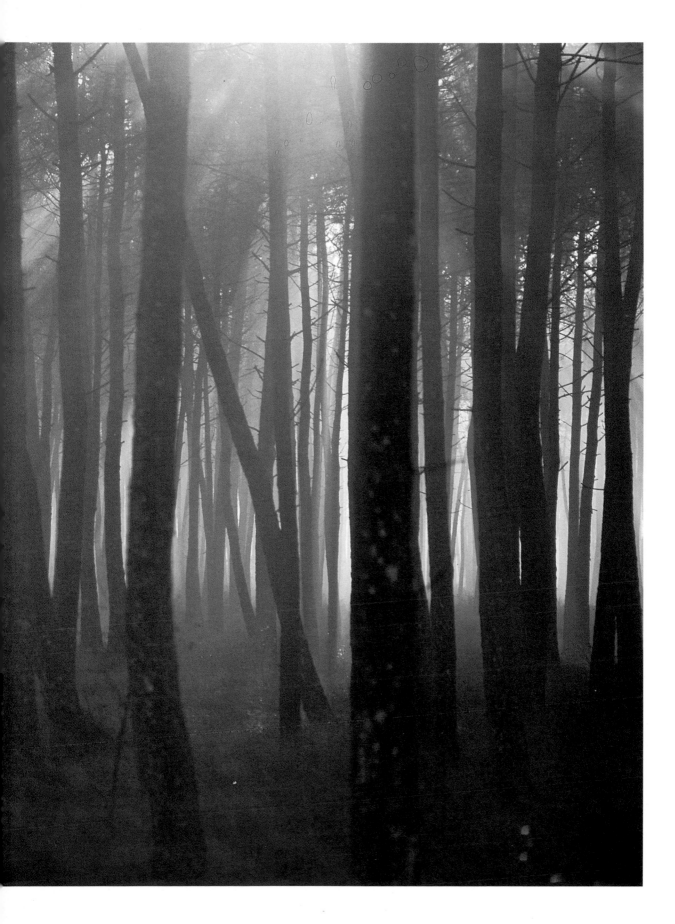

HÔPITAL SAINT-BLAISE (L')
(Ospitale Pia ; Soule)
13 km N.-E. de Mauléon

C'est à la porte du Béarn qu'est assoupie la toute petite commune (à peine 65 habitants !) ; le village se regroupe dans une dépression près du Lausset, cernée par les bois de Gurs, de Josbaig et de Chéraute.

Un tel effacement n'a heureusement pas trop fait oublier l'admirable **église** *romano-byzantine* des XIIᵉ-XIIIᵉ siècles, à clocher-lanterne central, dont on ne trouve nul autre exemple en Pays basque. L'édifice ravit le regard par ses volumes, appréciables tant dans leur totalité qu'en leurs détails. Sur plan de *croix grecque*, les corps contrebutent sur une partie axiale dont la croisée détermine la superbe *coupole octogonale* ; elle est tendue par une nervure en étoile, chaque couple d'arcature reposant sur des corbeaux moulurés. Un oculus, des croisées à linteaux polylobés, et des percées de type *mudéjar* (art de claustras hispano-mauresques des XIIᵉ-XVᵉ siècles) ajoutent une lumière chaude, cependant tamisée contre les parements de pierre des maçonneries intérieures. Le portail roman en marbre d'Arudy a bénéficié de la restauration sérieuse (1904) d'un sculpteur béarnais. Il est judicieux qu'on ait aussi pensé à améliorer la visite par une animation lumineuse et sonore ; elle permet de mieux connaître cette église sans équivalent.

Saint-Blaise fut une étape secondaire de Compostelle par la voie d'Arles, et Gaston III de Foix en fut le mécène au XIVᵉ siècle. Aujourd'hui, près des **maisons** à galeries couvertes et toits à coyau qui préfigurent le proche Oloronais, se perpétue le pèlerinage des éleveurs. La foire passée, le calme retombe sur ce sanctuaire unique.

◄ *Aux confins du Pays landais et des terres de Gramont.*

En haut : *Art naïf sur voûte de rosaces à l'Hôpital-Saint-Blaise.*

En bas : *L'or des murs de l'unique édifice romano-byzantin.*

58

IHOLDY (Iholdi ; Basse-Navarre) ET LE PAYS D'IRISSARY
18 km S.-O. de Saint-Palais

Logé dans des collines maillées de chênes, Iholdy appartenait à la *Fédération des sept pays* (ici celui d'Irissary) autonomes et à biens collectifs de la *Terre d'Outre-Ports*. La Joyeuse et des ruisselets drainent le paysage de monts herbeux. Ceux-ci furent utilisés comme défenses et l'on rencontre encore les reliefs de ces **enceintes protohistoriques à gradins** ; l'une, sur le mont Elhigna, est classée monument historique. Au loin se profilent les saillants de Navarre, bleus dégradés sur moutonnement de coteaux véronèse.

L'attrait du village tient en ses **maisons** décorées et un original ensemble fronton-église-tribunes. Presque tous les linteaux portent inscrits la vie de l'*etche*, où lettres et symboles rehaussés de noir enrichissent portes et fenêtres, quand ils ne relient pas les ouvertures de deux niveaux. Une habitation, *Elizabelar* (XVIIᵉ) — bien mal placée près du trinquet — se distingue par des croisées à meneaux, une entrée à gable, et quatre poivrières en briques coiffées par des toits coniques.

L'**église Saint-Jean-Baptiste** (XVIIᵉ) qui ferme la place centrale est dotée d'un clocher-fronton altier en pierre de taille, matériau également apparent à l'arrière de la nef (ouvertures ogivales). Les autres parois sont chaulées ; ainsi apparaît mieux encore la lourde *galerie extérieure* de bois brun reposant sur trois piliers maçonnés et couverte de toits à ressauts.

La D 300 mène, 2 kilomètres vers le nord, à **Armendarits** (*Armendaritxe*) dans un espace de petites cultures, près à moutons, champs de maïs, et landes. Entre automne et hiver, *hego xuria*, le vent du sud-est, transforme ce paysage en damier multicolore. Les anciennes **maisons** à linteaux sculptés ne manquent ni dans le bourg ni aux environs. A l'est, une route ombragée grimpe vers la **jaureguia**, ferme-château du XVIIᵉ perdue dans la verdure et envahie de lierre.

A 6 km à l'O. d'Iholdy, la commune d'**Irissary** (*Irissari*) près de la vallée du Laka, s'appuie sur les collines et landes du Landibarre, non loin de la masse du Baïgourra. Le village ne paraît pas avoir la faveur touristique méritée.

Pourtant, ses **maisons** des XVIIᵉ et XVIIIᵉ siècles retiendront l'attention ou l'admiration avec leurs linteaux couverts d'annotations ; tel ce cadre face secondaire d'une modeste habitation, où le lapidaire graphique et symbolique sont harmonieusement mêlés. Ce sens artistique, typique de la région, se retrouve dans l'art funéraire. Ainsi d'élégantes *croix navarraises* blanches décorées de motifs géométriques noirs (XIXᵉ) se dressent dans le cimetière.

L'énorme **commanderie** *des chevaliers de Saint-Jean-de-Jérusalem*, en cours de restauration, fut un *hôpital-prieuré*. L'édifice daterait du XIIᵉ siècle, mais on y fit des travaux importants vers 1605. Les murs sont en grès apparent, ainsi que les cadres d'ouvertures, à appuis et meneaux moulurés ; aux angles, à hauteur du second étage, les gros corbeaux à redans devaient supporter des échauguettes ou protéger des bretesses. Le pignon principal, réaménagé à merveille, s'orne d'une porte monumentale à panneaux armoriés d'influence castillane, rehaussée d'une croisée à doubles meneaux. Sur un angle du bâtiment, une *croix-jalon* (dite de carrefour) est l'une des plus caractéristiques qui soit en Basse-Navarre.

La commanderie des Chevaliers de Jérusalem.

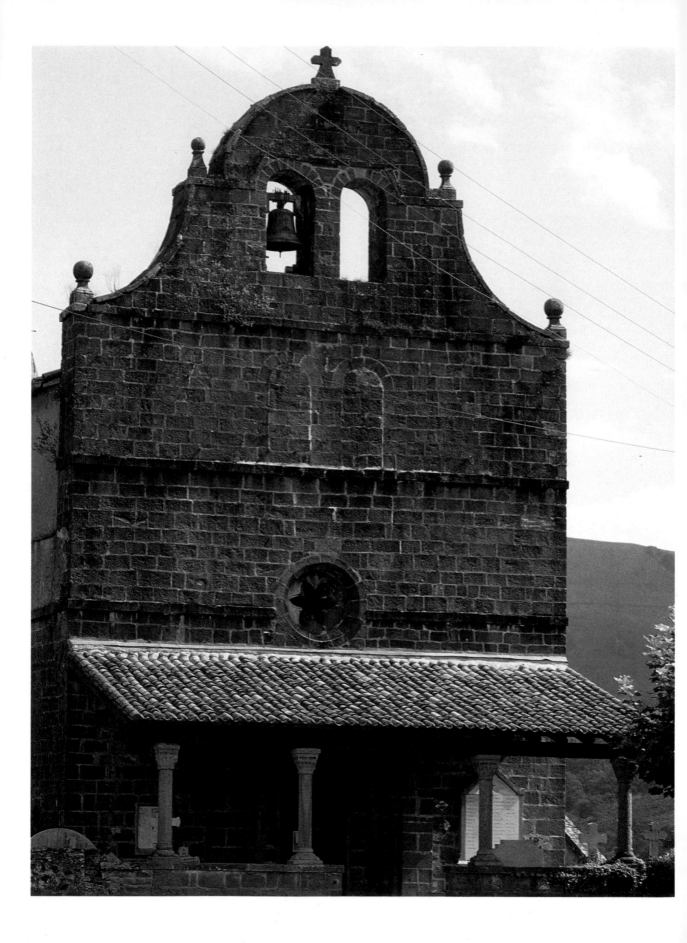

IRATY (MASSIF D') (Irati ; Basse-Navarre et Soule)

24 km S.E. de Saint-Jean-Pied-de-Port, 27 km S.-O. de Tardets.

Superbe massif boisé, auréolé de légendes et de faits réels (réseaux clandestins vers l'Espagne durant l'occupation), cette immense forêt encore sauvage ne manque pas d'intérêt. Les 2 300 ha de *hêtraie-sapinière* ont toujours constitué une zone redoutée mais convoitée. Sa situation ne la rendait guère abordable, du moins tant que les voies d'accès demeurèrent interminables et périlleuses. Accroché entre ravins et torrents, ciel et brouillards, encombré de passages rocheux surplombants, très enneigé l'hiver et inextricable autrement, ce lieu perdu ne fera pourtant pas trop reculer les premiers forestiers ; et ce dès 1629 ! Essayant de surmonter leurs inquiétudes (l'ingénieur Leroy affirmait en 1774 qu'il y vivait des hommes velus), bûcherons, maîtres de forges, charpentiers de marine se heurtèrent aux complexités du terrain dès 800 m d'altitude. Ces difficultés allaient de pair avec une découpe territoriale aberrante, engendrée vers 1512 par la chute du royaume transpyrénéen de Navarre. La ligne de partage des eaux sera bizarrement conçue, rejetant sur l'Espagne une grande partie des terres (aujourd'hui : 18 000 ha) et faisant de cours d'eau (le *rio* Irati, affluent de l'Ebre) des rivières navarraises coulant en partie à contresens ; les dispositions de 1856 ne clarifieront guère les choses.

L'exploitation anarchique de la forêt commence aux grandes heures de la Marine du Roy, et sera poursuivie, — navigation à voiles, arsenaux de Bayonne et Rochefort — entre le XVIIe et le début du XIXe siècle. Les rames des galères (hêtres) et les mâts (sapins) serviront ainsi la flotte mais entamèrent le patrimoine arboré ; les fûts descendaient sur des *glissoires* vers la Nive, pour lesquels il fallut aussi dégager des espaces. Au début du XXe siècle, les *vidanges* se firent par sol sur les lignes pastorales (1900-1917) puis par câble d'acier de 13 km de portée, aboutissant à Mendive. Une scierie y avait remplacé la mâture, la verrerie et les forges du XIXe siècle. On évacua alors de plus en plus de troncs (1927-1936 ; 1943-1953), non sans difficultés ; ce mode d'exploitation cessera définitivement en 1957.

◄ *Le fronton à courbes et contrecourbes d'Iholdy.*

Landes pacages d'Iraty, parcourues par le bétail.

Depuis une vingtaine d'années, plus de 50 km de tracés routiers ont libéré mais aussi démystifié l'un des plus grands boisements de hêtres d'Europe. Le secteur français est administré par les *syndicats de Soule* (à l'est ; 1 300 ha) et de *Cize* (à l'ouest ; 1 000 ha). On va de Nive à Saison par la forêt mais certains accès sont encore impressionnants, impossibles l'hiver sans l'aide du chasse-neige. Iraty a perdu un peu de ses secrets, de son silence et de sa sauvagerie, et voit des querelles régulières autour d'une pression cynégétique grandissante. Mais le petit complexe d'**Orgambideska-Baguargui** attire une fidèle clientèle, tant l'été que l'hiver. Il faut dire que le lieu est merveilleux de beauté sous le manteau nival, et offre un axe de randonnées grandioses aux autres périodes.

Du **col de Burdincurutcheta** (1135 m, par Mendive), on rejoint le plateau d'Iraty, aux vastes pâtures ; les troupeaux y sont nombreux à l'estive, mais beaucoup de *cayolars* disparaissent. Peut-être, comme le dit le berger de J. Ribas, parce que « *plus on fait de routes, moins les gens se rencontrent...* » La voie file plein sud, passe à la **clairière Pedro** et laisse l'Irati franchir seul la frontière ; l'asphalte meurt en effet dans la rocaille, comme si la montagne ne voulait plus de ce viol.

Les croupes virent passer les nomades dès l'âge du bronze. L'émotion est forte de penser que *tumuli* et *cercles de pierres* qui jalonnent les antiques chemins pastoraux voisinent avec les cayolars des **Escaliers**, les postes de chasse d'**Orgambideska**, ou le restaurant de **Baguarguiac**. Plus à l'écart, vers l'**Occabé** (1466 m ; GR 10 près du chalet Pedro) *une des plus belles nécropoles mégalithiques* d'Euskal Herria reste solitaire et un peu oubliée. Somme toute, continuité ou anachronisme se côtoient ou s'ignorent en Iraty ; seule l'opportunité des besoins et des rythmes modernes le décide.

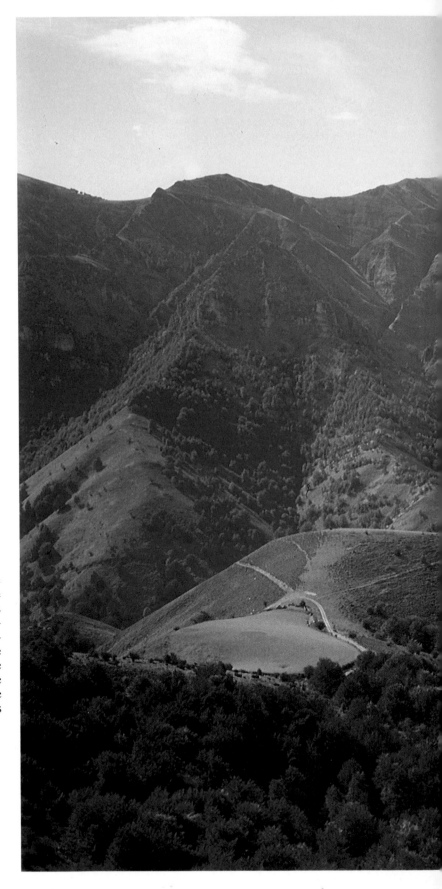

Grandiose panorama depuis le col d'Aphanice.

Près de Larrau, en Haute-Soule.

Le vautour fauve survole la Basse-Navarre.

Un site bucolique entoure le village d'Itxassou.

ITXASSOU (Itsasu ; Labourd)
4 km S. de Cambo-les-Bains

Plusieurs *quartiers* partagent le village, qui comprend aussi des maisons éparpillées à mi-pente des dômes ou près des vallons. Ces contreforts montagneux mais adoucis donnent un paysage tendre, pérennité qui cède quelques mois le pas au deux étonnantes saisons du secteur. Au printemps, la floraison des cerisiers (fête locale en juin) transforme le moindre recoin en éden neigeux ; à l'automne les reliefs se parent de brun, safran ou pourpre, alors que sur fond de ciel pastel passent les premières *palombes*.

Le *quartier Errobi* est fier de son **église Saint-Fructueux** (remaniée en 1670), l'un des plus beaux monuments religieux du Labourd. Éclatant de blancheur infiltrée de superbes parements de pierres, ce vaste édifice se rehausse d'un clocher carré à double toit-pagode en ardoises. Un remarquable cimetière conserve une série aussi spectaculaire que diversifiée de tombes *discoïdales* ; certaines appartiennent à une série dite *art funéraire de village*, d'autres sont des *tabulaires* (XVIIᵉ). L'intérieur est magnifique : 3 étages de galeries (XVIIᵉ) s'adjoignent une chaire et un encorbellement pour les chanteurs ; le retable doré du chœur est rehaussé de peintu-

res anciennes et bas-reliefs polychromes. A ces trésors s'ajoutent des pièces d'orfèvrerie (argent massif, émaux et gemmes), des statues et tableaux. La toile prestigieuse (XVIIᵉ, restaurée en 1985) représentant saint François d'Assise est attribuée au peintre sévillan Murillo, dont divers grands musées mondiaux se disputent les œuvres. Sous la Terreur, une partie de ces pièces sacrées faillit disparaître. Leur sauvegarde n'est due qu'au mutisme de quelques habitants, aussi courageux qu'était forte leur foi.

A 2 km à l'O. du *quartier de la Place*, on rejoint le **plateau d'Urzumu** (184 m), qui permet de s'orienter et

Croix ancienne, abreuvoir moderne, et vautours cohabitent dans les parages de Saint-Sauveur.

◀ *Dans le massif des Arbailles.*

Sans les moutons, que serait le paysage euskarien ?

d'avoir de très belles vues sur la région. Au sud, par Errobi, la route s'encastre dans des rochers déjà entaillés par la Nive. Cette saignée en corniche atteint, 2 km après le bourg, le *quartier du Laxia* et le **Pas-de-Roland**, connu aussi sous le nom d'*Utheco Gaiz* (le mauvais pas). Ce rocher fendu, avec regret remodelé par l'homme, serait l'œuvre des sabots furieux du cheval de Roland fuyant les Vascons, ou une brèche ouverte d'un coup d'épée par le célèbre neveu de Charlemagne. Un défilé tortueux et étriqué remonte ensuite au S.-O. le **ravin du Laxia** ; à mi-chemin, des mines de fer abandonnées dans une zone de chaos rocheux, et sur les sommets dénudés divers vestiges protohistoriques. Pelouses et landes sont la couverture des dernières hauteurs menant au **pic d'Artzamendi** (926 m) par Mehatxe. De cette « *montagne de l'Ours* » où « *la technique supplantant la légende a dressé des antennes de faisceaux hertziens* » (J. Peyré), la vue est immense et grandiose.

Région du Laxia et du Pas-de-Roland.

De l'Artzamendi, le panorama est grandiose.

LABASTIDE-CLAIRENCE (Bastida ; Basse-Navarre)
25 km O. de Bayonne

Louis X le Hutin créa cette **bastide** entre 1312 et 1314 près de la Joyeuse d'où l'on rejoignait Bayonne par fleuve. Le roi de Navarre assurait ainsi la limite septentrionale de ses terres. L'agglomération s'ouvrit aux Gascons, puis vinrent marrancs et morisques chassés par les tribunaux d'Inquisition ; plus romanesque, la légende (?) rapporte que des bigourdans, Claire de Rabastens et sa suite, fondèrent la ville vers 1300.

La prospérité de ce gros bourg, plusieurs fois siège des états navarrais (XVIIe, XVIIIe), a été considérable. Ville d'artisans et négociants, les forgerons, bonnetiers et chocolatiers s'y comptaient par dizaines ; ils en firent la réputation grâce aux marchés et foires tenus jusqu'à la Révolution sous les voûtes de la place aux Arceaux. Avec les derniers batteurs de clous, l'activité et la richesse de la cité s'éteignirent fin XIXe siècle.

De *parler gascon*, proche des traditions landaise et béarnaise (jeux de quilles par exemple), Labastide, assez oubliée semble-t-il, vaut incontestablement une visite. La **place centrale** rectangulaire s'agence sur le plan des villes-fortes médiévales, les maisons à colombages reposant sur une succession d'*arcades* aux piliers épais ; le passage ainsi constitué (où se tenaient échoppes) est pavé de larges dalles et plafonné par d'épais parquets à solives patinées. Six rues pentues et exiguës sont greffées sur cette place. Elles sont bordées de constructions dont les revêtements de moellons, des sculptures, et les pans de bois (parfois à croisillons et écharpes) rivalisent d'ordonnance, d'esthétique, et d'âme basque.

Consacrée en 1315, l'**église gothique Notre-Dame-de-l'Assomption**, très remaniée (XVIIIe), garde aussi un superbe porche roman. Sa grande originalité s'étale sous les pas : protégées par les lourdes toitures d'un *préau-cloître*, des dizaines de pierres tombales forment, autour du bâtiment, un émouvant parvis sacré. Le *cimetière israélite* (restauration en cours, 1984) montre que la communauté juive, constituée sous Charles Quint, eut une grande importance (XVIIe-XVIIIe). Pour la petite histoire de l'édifice, sachons enfin que F. Jammes y effectua sa conversion (1906), acte qui devait l'orienter vers des écrits « *humbles et sincères* ».

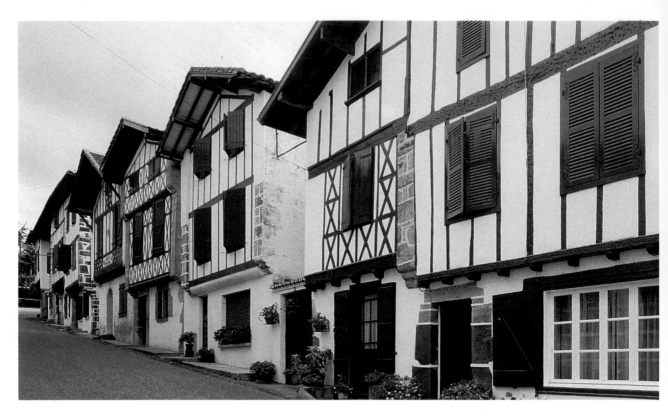

Pimpantes maisons de Labastide Clairence.

Le parvis sacré du préau-cloître.

Stèles discoïdales et croix navarraises abondent dans le minuscule cimetière d'Ascombéguy.

Dans les bosses du col d'Aphanice.▶

LANTABAT (Landibarre ; Basse-Navarre)
15 km S.-O. de Saint-Palais

Cette commune dont aucun village ne porte le nom s'étire sur près de dix kilomètres au long d'un bras de la Joyeuse. Elle y sème ainsi une poudre de *quartiers* et hameaux, anciennes paroisses isolées dans bosquets et landes. Un collier d'élévations borne territoire et horizons ; à **Gazteluzahar** (472 m ; « *le vieux château* ») restent les importants terrassements d'enceintes protohistoriques, tandis qu'au **col des Palombières** (337 m) se pratique la traditionnelle chasse au filet.

On n'aura pas manqué de voir l'église à clocher-fronton de **Saint-Martin**, à galeries extérieures sous auvent ; mais c'est en poursuivant l'étroite route qu'on rejoint — ou presque — le bout du monde, à **Ascombéguy** (*Azkombegia*) : la voie s'achève dans ce hameau de quelques dizaines d'âmes, acculé sur une ligne de collines ; on vit ici comme en marge du temps, les porcs croisent

les moutons dans l'unique rue ; à son entrée, une *croix-jalon* édifiante, Christ symbole et naïf dont les bras sont soutenus par deux visages humains. A l'opposé, la modeste église possède un cimetière grand comme un mouchoir de poche, où veillent de superbes *stèles discoïdales* et *croix navarraises*, certaines très anciennes (1643, 1649...).

LARRAU (Larraine ; Soule)
18 km N.-O. de Tardets

C'est le dernier village perché du Val Senestre de Haute-Soule, encadré par sommets, croupes et forêts ; mais la vue plonge aussi sur d'impressionnantes vallées. Groupé sur un replat en lisière des pâturages et de la zone sylvatique, Larrau s'atteint par une route étroite en lacets qui longe ou surplombe le gave affluent du Saison. La poursuivant, on rejoint aussi la frontière espagnole (12 km S. ; vers Salazar ou Roncal), ou

la forêt d'Iraty à l'Ouest.

Les maisons et leurs annexes sont ramassées, sans grandes ouvertures, couvertes d'un vaste toit d'ardoises très effilé : preuve de la proximité béarnaise et des rudesses de la montagne. L'isolement permet de garder toute la vérité des traditions. Les soirées de *kantaldi* (chants souletins à plusieurs voix) improvisées à l'auberge ne sont pas rares ; l'une des plus vieilles chansons euskariennes — celle de Berterretxe (vers 1434) — n'est-elle pas née de l'histoire du bourg ? Les espaces pastoraux ont aussi leur patrimoine ; montant sur l'Espagne, la route passe devant quelques *bordes* trapues couvertes de *bardeaux* taillés à la hache, tandis que les *palombières* au faîte des arbres illustrent l'ancestrale chasse aux migrateurs.

Du **port de Larrau** (1 573 m) ou du **col d'Erroïmendi** (1 362 m) démarrent les itinéraires pour gravir le **pic d'Orhi**, altière sentinelle gazonnée, la plus élevée depuis l'Atlantique. Deux cuvettes glaciaires (face nord) et des crêts dénudés (avec une enfilade de postes de tirs)

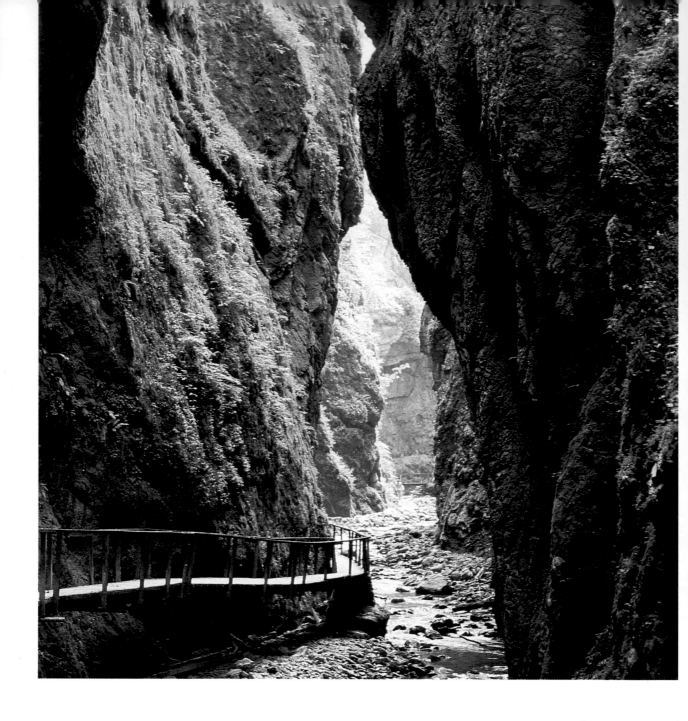

jalonnent la montée qui s'achève sur les 2 017 m du sommet ; ce *synclinal perché* est un inoubliable belvédère sur la France et l'Espagne.

Par **Uztarbia** vers Amubi, un sentier difficile traverse de grands paysages où subsistent des *granges à portes cloutées*. Un autre parcours, très étudié, satisfait les plus exigeants. Près de l'auberge **Logibaria** (2,5 km sous Larrau), le sentier des **gorges d'Holzarté** progresse le long des saisissantes crevasses que les torrents ont taillées dans le calcaire. Ce

ne sont qu'à-pics, parois lisses, vires et espaces vertigineux où s'accrochent de rares hêtres rabougris. Ces gorges, larges d'à peine quelques dizaines de mètres, emprisonnent, 250 à 300 mètres plus bas, les torrents d'Olhado et d'Olhabidia. Le fond de cet enfer liquide, l'*un des plus spectaculaires des Pyrénées*, fut exploré en partie dès 1908 par le spéléologue E.-A. Martel. Aujourd'hui encore, remontée ou descente sont le domaine réservé des spécialistes chevronnés. Au confluent des deux

branches, la **passerelle d'Holzarté**, borne fréquente des randonneurs, assure une liaison arachnéenne et pendulaire — sur *200 mètres de vide* — avec l'autre versant.

Pour ceux que l'émotion et la marche auront creusés, un juste repli consistera dès lors à déguster à Larrau le salmis de palombes, accompagné de piperade aux cèpes et d'un authentique fromage, *ardi gasna...* ; art culinaire de ces montagnes souletines qu'on n'oublie pas.

LAURHIBAR (VALLÉE DU)
(Basse-Navarre)
5 km S.-E. de Saint-Jean-Pied-de-Port

La route du Laurħibar s'ouvre à Saint-Jean-le-Vieux, couloir d'accès sur la D 18 qui suit au S.-O. le tracé naturel du cours d'eau et prend appui sur les socles d'Iraty. A l'approche du **Bassaburua** (« la tête sauvage ») où règnent *mariak, eiztarri beltza*, et autres divinités, les terres accueillantes hébergent encore de charmants villages ; ainsi **Ahaxe, Alciette, Bascassan** (4 km S. Saint-Jean-le-Vieux), à maisons navarraises (XVIIᵉ-XVIIIᵉ). Si l'**église Saint-Julien** d'Ahaxe vaut le détour pour ses éléments médiévaux, ce sont surtout les fabuleuses **chapelles romanes Sainte-Croix** d'Alciette et **Saint-André** de Bascassan qui imposent une visite. Très semblables d'aspect extérieur (mêmes artisans ?) leurs harmonieux volumes se complètent par une richesse intérieure peu commune : voûtes de bois peintes d'une main naïve mais vigoureuse, retables (XVIᵉ-XVIIᵉ) sur fond bleu nuit étoilé, panneaux ou médaillons, colonnettes torses ou ioniques, statuaire populaire et expressive.

A **Lecumberry** (*Lekumberri* ; 6 km S.), se trouve une très ancienne **maison noble** (*Donamartia*) en pierres rosées ; à **Mendive** (*Mendibe*), on verra l'**église Saint-Vincent** (vestiges romans, restaurée XVIIᵉ) et le **dolmen de Gastenia** (chemin à hauteur de *Bastida*) dans une région de transhumance néolithique (les « *alchubide* ») ; à **Behorleguy** (*Behorlegi*), la **chapelle Sainte-Engrâce**, à statues polychromes, dont une sainte au port de reine (XVIᵉ), vaut aussi l'arrêt.

Remontant vers Iraty, c'est l'entrée dans « *l'enfer du Lauribar* » (G. Viers) ; le chemin se cabre alors, passe au **col d'Haritxcurutche** (vers 800 m) puis sur le replat de Saint-Sauveur. La **chapelle Saint-Sauveur** (partie de l'abside, IXᵉ siècle ; nef du XIIᵉ, remaniée aux XVIIᵉ et XVIIIᵉ) est perdue dans les pâturages près d'une *borde*. Édifiée, croit-on, sur un lieu de culte préromain, cet ancien hôpital de l'ordre de Malte a un original chemin de croix *extérieur* sur colonnettes. L'intérieur, plusieurs fois pillé, faiblement éclairé par des meurtrières, possède — ou possédait ! — des bois polychromes (saint Michel terrassant le Dragon, Christ à baldaquin) et un chandelier de forme énigmatique. Dans le pierrier-reposoir externe, la statue peinte de la *xaindoa* de Beyrie a également disparu. Au-delà de ce sanctuaire où chacun sait que rôdent de nuit des âmes pénitentes, s'ouvre l'épaisse forêt.

◄ *L'étroit cañon des gorges de Kakouetta.*

A Bascassan, voûte étoilée et magnifique retable.

Emouvante œuvre de maître-forgeron.

A Mauléon, l'hôtel Renaissance de Maytie d'Andurain.   Vue générale depuis le château féodal. ▶

MAULÉON-LICHARRE (Maule-Lextarre ; Soule) ET LE BAS-SAISON
23 km S.-E. de Saint-Palais

Après un parcours montagneux difficile, le Saison entre presque en conquérant dans la capitale de la Soule ; encore verrouillé entre rocs et vieilles bâtisses qui profilent vocation et passé industriels de la ville, le fleuve se libère au **quartier de la Sablière**. Son cours majeur s'ouvrira alors au travers d'une ondulation bocagère, miroir du piémont basque, où moutons *manech*, *basquaise* et *basco-béarnaise* passent une partie de l'hiver. A hauteur de Lichos, « *lou gabe suzoo* » rejoindra le Béarn.

Mauléon doit son édification à ce qu'en **Haute Ville**, on pense être un *oppidum* ; les traces en sont nébuleuses. Mais il s'est érigé en lieu et place un **château fort** (XIIe, remanié XVIIe). Les « ruines » de *Malus-Leo* (le mauvais

lion) surveillent ville et vallée. Cet ouvrage, dont les cachots et canons sont à présents muets, est encadré de tours elliptiques, et accessible par une rampe à trois arches menant au pont-levis. La vieille ville bénéficia de cette protection et se développa vers le XIVe siècle. On peut y voir certaines *demeures de caractère* (croisées à meneaux, porches en anse de panier, portails de cours...). La règle du *clocher trinitaire* souletin n'a bien sûr pas échappé aux bâtisseurs de l'**église Notre-Dame-de-Haute-Ville** (XVIe-XVIIe) bloquée entre des maisons.

Sous vicomté vassale d'Aquitaine dès 1023, le site est marqué de l'autorité du roi de Navarre, des ducs de Gascogne (1257-1307), et de la bannière anglaise (1307-1449). Assiégée par Gaston IV, la place capitule en 1449, déterminant dans sa chute celle du reste de la Soule. En 1463, ville et province échoiront à Gaston de Foix. Mauléon (mais non Licharre) fut gérée en franchise par des

jurats, baillis ou potestats jusqu'à la Révolution. Longtemps cité bourgeoise, la ville conserve en **Basse Ville** plusieurs beaux immeubles.

La **demeure** du capitaine-châtelain (dite **de Montréal** ; XVIIe-XVIIIe) gouverneur du « *Païs de Soule* » est maintenant l'*hôtel de ville*. Le château Renaissance d'Andurain (« **hôtel** » de **Maytie d'Andurain**, évêque d'Oloron, 1598-1623) est une imposante bâtisse de pierres à toit en bardeaux de châtaignier. Tout sert à l'enjoliver : baies à meneaux, portes à colonnades, balcons aux fers forgés sophistiqués, généreuses lucarnes à frontons. A l'intérieur, les cheminées de marbre, une collection d'*in-folio*, et une exceptionnelle charpente robuste complètent la valeur du lieu. La **place centrale**, ombragée par les tilleuls des **allées de Soule** est close par le *fronton*. Sur la suivante, d'où le vieux château apparaît en son entier, la

Croix-Blanche en marbre alvéolé (XVIe) marquerait le siège de la cour de Licharre, démocratie rurale d'assemblées locales, le *silviet*. Peut-être est-ce là aussi que fut exécuté « Matalas » : B. de Goyenetxe, curé de **Moncayolle** (*Mitikile* ; 6,6 km N.-E.), excédé par les tributs à payer au château, rassembla une armée de paysans en 1662. Mais défaits et trahis par les soldats du roi et la noblesse, les mutins furent pendus ou envoyés aux galères, leur chef décapité.

Le développement de Mauléon est lié à la *tradition industrielle*, artisanale à ses débuts (1830-1850) : cordiers et tisserands fabriquent chez eux des sandales revendues par des commerçants. Dès 1850, ces façonniers se regroupent en ville, se mécanisent (1860-1880), secondés par une main-d'œuvre étrangère (saisonniers navarrais et aragonais) de plus en plus importante dans la première moitié de notre siècle. La production ira s'amplifiant : plusieurs millions de paires de sandales sortent des manufactures vers 1930. Puis survient, avec le caoutchouc pour semelles, la reconversion ; les souletins du canton prendront en charge, en même temps que les sandaleries (vers 1950) cet élargissement aux articles soudés (tels le célèbre *Pataugas* !). Aujourd'hui fort concurrencée (Chine surtout) l'industrie chaussante reste fragile, mais encore bien représentative de la région (70 % de la production française d'espadrilles).

Ne quittons pas Mauléon sans méditer sur ce passé ; deux ponts donnent des vues en enfilade sur le Saison et d'anciennes fabriques. Malgré une certaine hétérogénéité des constructions, les berges entrecoupées de verdure ne sont pas sans séduction certaine.

Notre itinéraire vagabond favorise l'errance dans les collines des environs, où ne manquent pas certaines maisons caractéristiques : toits d'ardoises, murs sans boiseries, avant-toits à gênoises, influencés par la plaine béarnaise. En descendant la vallée (régions de **Charitte-de-Bas** [*Charikota Pe* d'**Arrast-Larrebieu** [*Larrabile* ; env 10 km N.]), les couvertures de tuiles plates seront alors presque celles de l'Oloronais.

L'église du Bas-Saison garde encore sa marque régionale : le *fronton trinitaire*, si fréquent en amont (*voir Tardets*). L'une des plus rustiques est peut-être celle d'**Abense-de-Bas** (*Omize Pe* ; 4,5 km N.) à clocher-calvaire qui supporte un édicule à califourchon sur le toit de la nef, et dont le porche (latéral et non frontal) fait face à un pont à deux arches.

Cheminant vers le Béarn voici, dans un glorieux cadre de coteaux, **Barcus** (*Barkoxe*, 15 km E.), berceau des conteurs et *pastoraliers* ; Pierre Tope (début XIXe siècle) est resté l'un des plus célèbres. Et l'on continue d'être souletin à **Esquiule** (*Eskiula* ; 7 km E de Barcus), village pourtant enclavé au Béarn et dépendant d'Oloron !

Le « pays bossu » au col de Sustary

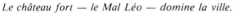

Le château fort — le Mal Léo — domine la ville.

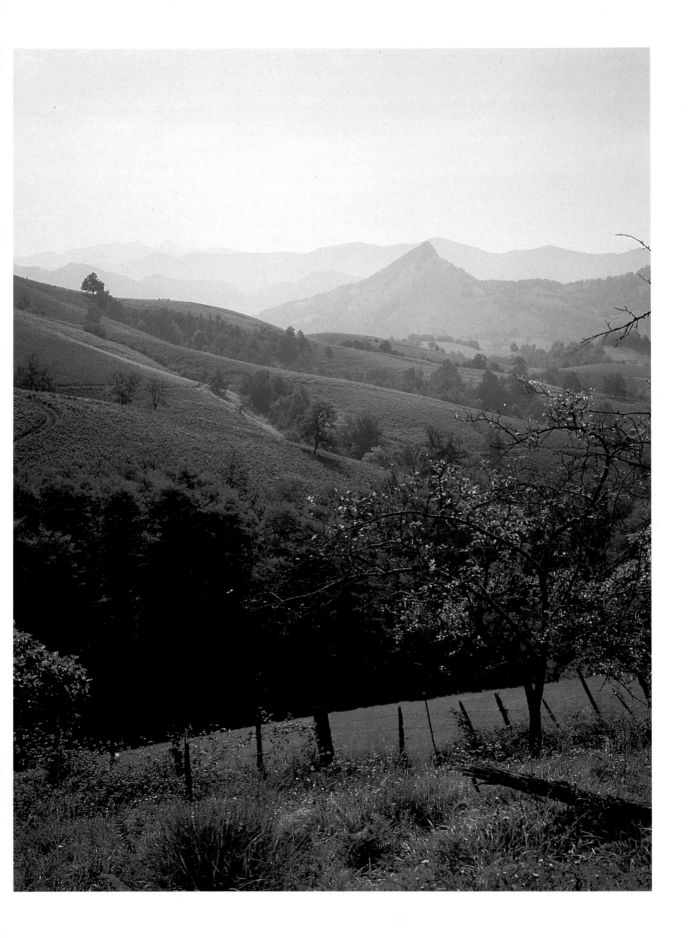

OSQUICH (COL D') (Oskixe ; Soule)
14 km O. de Mauléon

Contrairement aux apparences, ce col géographique (392 m ! ; Arbaille-de-Soule/Ostabarret de Basse-Navarre) et ses saillants (D 918 vers Mauléon) réservent une succession de magnifiques points de vue, colorés et tourmentés.

La **chapelle Saint-Antoine** (705 m ; 1 h S.), lieu de pèlerinage, est un belvédère de choix sur les Pyrénées. Elle fut dressée sous le règne de Charles le Mauvais en 1385, qui concluait ainsi les efforts de réconciliation entre comtes de Luxe et ducs de Gramont. Au **signal de Mehaltzu** (648 m ; 1 h N.), se trouvent les restes d'une enceinte à gradins, en surplomb sur la combe de Pagolle.

Ordiarp (*Urdinarbe* ; 8 km E. d'Osquich), minuscule village de Petite-Arbaille, eut une commanderie-hôpital, un temps siège de Pierre de Charrite de Ruthie ; l'aumônier de François Ier y accabla les paysans de dîmes et droits. La fière **église romane Saint-Michel** à absides voûtées émerge d'une dense végétation qui rehausse le très beau clocher-mur à porche. On accède à l'intérieur (statues du XVIIe) par un plan incliné, posé sur une arche.

Une route accidentée mène plein sud au **col de Napale**, face aux Grandes-Arbailles. Zone réputée pour la chasse aux palombes, on peut y observer les derniers *chariots à roues massives* pour le transport de litières !

OSSES (Ortzaize ; Basse-Navarre)
10 km N. de Saint-Etienne-de-Baïgorry

Le *fossé* d'Ossès, placé entre les crêtes d'Iparla et le massif de Baïgourra, s'étale en basse plaine de sols fertiles, drainée par le Laka. Le village, à *dispersion intercalaire*, laisse donc possibilité de satisfaire sa curiosité d'un quartier à l'autre. Cette visite offre la découverte de superbes maisons à colombages dont quelques entrées gothiques soulignent l'ancienneté en en rehaussant l'esthétique. Plusieurs demeures, légè-

Près du col d'Osquich, haut lieu des chasses à la palombe.

rement à l'écart du bourg, furent nobles et franches au Moyen Âge (*Sastriarena, Haritzmendi*…) ; elles comptent parmi les très beaux édifices régionaux, restaurés au début du XVIIe siècle, et bien entretenus jusqu'ici.

D'origine romane, l'**église Saint-Julien** a été entièrement reconstruite vers 1560. Les maçons d'alors imaginèrent un curieux édifice dont le clocher-minaret à sept pans et sa coiffure d'ardoises sont les parties les plus frappantes. Un assemblage patient et régulier de lits de grès bicolores ajoute beaucoup de délicatesse au gros œuvre. Par contre le porche baroque à colonnades (1668) surprend autant que le volume assez austère (faibles décrochements, peu d'ouvertures) de la nef. Les très intéressantes lignes de l'intérieur mettent en valeur une décoration talentueuse. Ainsi des colonnes à cannelures et méplats, un escalier à vis, et la somptueuse ornementation du chœur dont le dôme et le retable sont les pièces maîtresses.

OSTABAT-ASME (Izura ; Basse-Navarre)
13 km S. de Saint-Palais

La discrète situation d'Ostabat (à l'écart de l'axe Saint-Palais/Saint-Jean-Pied-de-Port) aurait pu laisser le village dans un oubli feutré. Pour peu que l'on s'y penche, son histoire en décide autrement. L'**Ostabarret** (*Oztibarre*), vert, vallonné, et confortablement boisé regroupe huit communes ; celle d'Ostabat a donné son nom au pays. L'agglomération est mentionnée vers 1140, et sa charte de *bastide* date de 1196 ; théâtre de belligérances, elle s'entoura d'ouvrages de protection, rasés en 1228 par Sanche le Fort, roi de Navarre. Seuls quelques **vestiges** (angle sud du village) subsistent, d'autant que pillages et incendies (1523) gâtèrent encore ce capital immobilier. Les halles historiques (1607) concordent avec l'activité besogneuse de la cité sous Henri IV ; et bien des marchands ont habité les maisons jointives (XVIIe au XIXe) de la place et des quatre passages qui y donnent. Des gouttereaux moulurés, chaines d'angle, linteaux artistiques, boiseries sculptées et balcons décorent nombre de ces logis.

L'**église** néo-gothique **Saint-Jean-Baptiste** (fin XIXe) n'a pas connu le carrefour de trois des quatre principales routes jacobites (les *jakobe bidia*) : celles de Tours, du Vézelay et du Puy, qui rejoignaient aussi la voie romaine d'Antonin, Bordeaux-Astorga. C'est dire l'importance d'Ostabat (l'*Hostavallem* du Moyen Âge) du IXe au XVIIIe siècle, passage de millions de pèlerins à cape, gourde et bourdon qui gagnent ensuite l'Espagne. Plus de la moitié des désignations de maisons du bourg a d'ailleurs pour origine la fonction dévolue à cette cause. Dans les environs, divers repères concrétisent cette zone de convergence. Près de **Larceveau** (*Larzabale* ; 15 km S. de Saint-Palais), le hameau d'*Utxiat* eut son hôpital-prieuré, dont les biens furent reportés au XVIIIe à l'hôpital de Saint-Palais ; des *discoï-*

Entrées typiques à linteaux ou claveaux armoriés, en Ostabat.▶

Malade de son isolement, l'admirable Saint-Nicolas d'Harambeltz.

dales intéressantes (1re moitié du XVIIe) sont à signaler. **Bunus** (*Bunuze* ; 6 km O. d'Osquich) et **Hosta** (5 km S. de Bunus), gardiens de linteaux anciens (1716), et croix-jalon à figurine naïve (1669) furent des étapes provisoires et isolées, pas forcément sûres.

Mais, c'est surtout l'émouvante **chapelle Saint-Nicolas** d'**Harambeltz** (*Arambels*) qui fixe singulièrement l'attention. L'accès au *prieuré-hôpital médiéval* s'effectue par le GR ou par un chemin qui prend sur la N 133 (9 km S. de Saint-Palais). Par le bois épais d'Ostabat, on atteint une clairière sommitale où s'est construit le bâtiment. Le clocher-mur, un porche dallé à portail surbaissé, l'entrée voussée (XI-XIIe) à

chrisme, étoile et croix de Malte, sont le prestige du sanctuaire, privilégié par Charles le Mauvais. L'intérieur est naïf et fastueux. Le plafond cintré et des lambris peints (XVIIe) à bas-reliefs, un fabuleux retable (XVI-XVIIe) à colonnes torses, pampres et motifs stylisés, des statues (saint Jacques, Vierge à l'Enfant, bois dorés du XVe)... forment un réel musée d'art dont la valeur s'oppose à une dégradation paradoxale. Dans le *cimetière*, de très belles stèles, certaines à rosaces ou monogrammes mariaux, datent du début du XVIIe. Le *hameau* est un isolat où subsistent quelques agriculteurs, et les descendants des derniers *donats*, chargés (depuis un millénaire) de l'entretien des lieux saints. L'ancienneté des maisons est significa-

tive : « *Etcheverria* » existait en 984 ! (rebâtie en 1786, voir le linteau). C'est donc ici qu'il faut, *more majorum*, solliciter l'ouverture de la chapelle.

Le **château** de Pé-de-Latxague (1 km S.-O. d'Ostabat) est tristement devenu domaine agricole. Mais son allure médiévale (XIVe-XVe) vaut d'y passer. Latxague devint ambassadeur des papes d'Avignon, confident d'Agnès de Navarre, et mourut en croisade. A peu de distance au sud, le hameau **Ibarre** du village de **Saint-Just** (*Donaixti* ; 10 km S.-O. d'Ostabat) vit naître Michel Garicoïts (1797-1863), prêtre canonisé, à l'origine de la fondation de séminaires en Pays basque et Béarn. Une chapelle rappelle son apostolat.

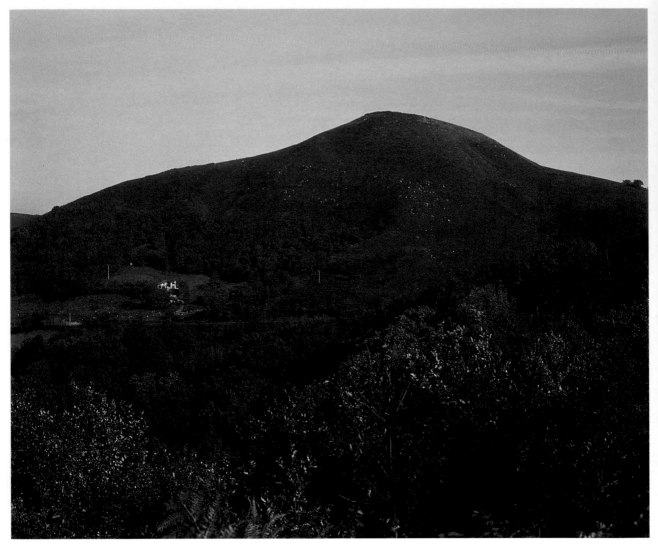

Première sentinelle basque sur l'Océan : la Rhune.

RHUNE (LA)
(Larrun ; Larraona ; Labourd)
Par le col de Saint-Ignace : 3,5 km d'Ascain

La silhouette parfaitement individualisée de ce massif montagneux est un symbole en Labourd. De partout le regard s'y porte, tous la connaissent ; pourtant l'on vous dira qu'elle est chaque jour différente. C'est certain qu'il faudra voir, en toutes occasions et saisons, cette montagne si proche de la mer : blonde à l'aurore, feu au crépuscule ; vert et safran lorsque crosses des fougères et fleurs d'ajoncs la couvrent au printemps ; rousse des *touyas* et cardinale des bruyères d'automne ; noire et menaçante quand l'hiver l'enveloppe ; bleue quand le vent du Sud — *haize hegoa* — souffle du Guipuzcoa...

Parcourir la Rhune à pied est la meilleure façon de découvrir mille secrets dans cette « *bonne lande* », que l'impératrice Eugénie gravit à dos de mulet, calée dans un étroit *cacolet*. On découvrira une flore diversifiée en lisière des pelouses, sillonnées par les *pottokak* ventrus et farouches. Dans ces étendues où les sorcières étaient pourchassées autour de l'oratoire Saint-Esprit — disparu — de nombreux *cromlechs et dolmens* se disputent le passé avec les *redoutes* du Premier Empire : Urkila, Trois-Fontaines, Koralhandia...

La solution reposante passe par l'utilisation du sympathique *train à crémaillère*, aux boiseries vernies rouge et brun, qui, du col de Saint-Ignace (169 m), conduit aux plates-formes du sommet (900 m). Un immense panorama s'ouvre alors de cette « *montagne d'un seul tenant... dont seule une borne de pierre divise le sommet* » (J. Peyré) ; l'on parcourt en un instant la côte des Landes à l'Espagne, le Pays basque, et parfois les massifs hautpyrénéens..., sur la lame de Labourd et Navarre.

Au Mondarrain.

A Labastide-Villefranche, l'on estime avec intérêt ce que donneront ces futurs jambons.▶

Les bois clairs de Sare abritent les chevaux.

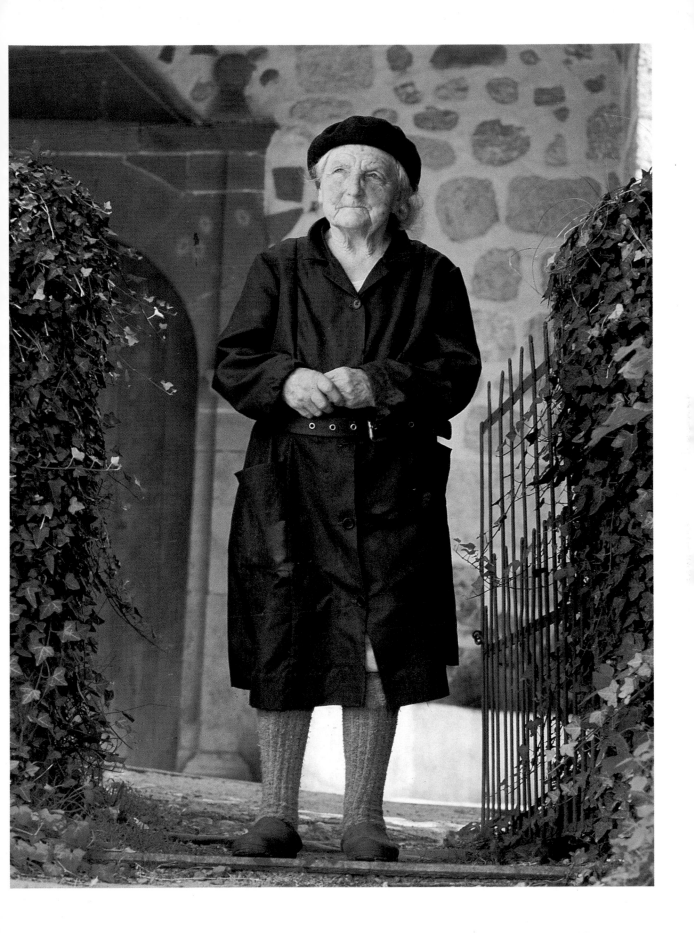

SAINT-ÉTIENNE-DE-BAIGORRY (Baigorri ; Basse-Navare) ET LA VALLÉE DES ALDUDES

11 km O. de Saint-Jean-Pied-de-Port

Terroir des limons et pierres rouges, utilisés ici dans la construction civile, militaire ou religieuse, l'ancienne vicomté est un bel ensemble de paysages, d'art et d'histoire basques. La ville, qui garde les portes de la sauvage **vallée des Aldudes** — couloir vers Pampelune — est un fleuron touristique.

Une série de *mégalithes* (*Elhorrieta* au S.-O., p. ex.) subsiste de la civilisation pastorale d'avant l'âge du Fer, et des *mines romaines* d'argent et de cuivre ont fonctionné dans le relief (**Banca**, 8 km S.). La naissance officielle de la ville n'apparaît qu'au XIᵉ siècle : *Bigur*, dont le toponyme dérivera finalement en

San Esteban de Bayguer (1253) puis *Vaygurra* (1446) ; l'étymologie avancée de la base euskarienne *Ibai-gorri* (la rivière rouge) n'est donc pas formelle. En 1033, Sanche le Grand rattache la vallée à la couronne de Pampelune ; vers 1249, les vicomtes d'Etxauz sont maîtres des terres : ils le demeureront avec plus ou moins de bonheur jusqu'au XVIIIᵉ. Le plus connu fut Bertrand d'Etxauz (1556-1641), évêque de Bayonne (1593), homme de confiance de Louis XIII. Sur une colline rive gauche, on peut admirer son **château** à parties médiévales (tours, escalier à vis) ou Renaissance (échauguettes). En intermédiaire à cette dynastie régionale, survient la séparation des deux Navarres (1512) et l'édification de la ligne frontalière. Le **pays Quint** (*Quinto Real*, ou *Kintoa* : impôt du cinquième royal sur les porcins, 1237), autrefois neutre indivis de 20 000 ha de pâtures entre Espa-

gne (val d'Erro) et France (Baïgorry) va devenir source de conflits entre les provinces. Violents incidents (1610-1768) et négociations (entre 1613 et 1776) alternent, aboutissant (1785) à créer une ligne de démarcation, dite d'Ornano. Mais les luttes se poursuivront, affaiblissant l'économie du pays, entrecoupées par des faits de guerre où s'illustrera le futur maréchal Harispe (1793). En 1843 des razzias de bétail auront lieu, et seul le traité de Bayonne (1856) mettra un peu d'ordre. Actuellement, les troupeaux paissent en exterritorialité dans le Kintoa (et sur sols syndicaux), contre redevances (à Erro ou Baztan) ou conventions : herbages de l'amont frontalier. Curieusement, quelques familles françaises ont encore redevance foncière sur l'Espagne.

Baïgorry s'étire le long de la Nive des Aldudes, et a essaimé des quartiers à partir du bourg (*Bastida, Urdoze,*

Saint-Etienne de Baïgorry fut édifiée au XIᵉ siècle.

Belexi, Guermieta...). Certains eurent leur propre conseil au Moyen Âge ; d'autres prirent leur totale indépendance au XVIIᵉ. Ainsi **Banca** (*Banca*), avec des vestiges de forges et fonderies les plus importantes du Pays basque (4 000 ouvriers au XVIIIᵉ) ; les **Aldudes** (*Aldude*), où l'église du XVIIᵉ garde le chapelet en or de Maximilien d'Autriche, ancien empereur du Mexique ; **Urepel** (*Urepela*), lui-même quartier des Aldudes jusqu'en 1865, où chaque année se renouvelle la *marque* des troupeaux. L'architecture communale est richissime ; de nombreuses *maisons nobles, palacios ou fivatières*, à linteaux ciselés, vastes portes pleine voûte et claveaux existent tant dans le bourg qu'à *Okoze, Leizparze*... ; les chapelles (en général XVIIᵉ), castelets (*Leizarazu*, début XVIIᵉ) ou salles seigneuriales (*Urdoze*) ne manquent pas non plus.

La **maison rurale** est souvent cossue,

allure provoquée par l'élégance des grès de parement (fréquemment bicolores) et leur importance ; des balcons sculptés, à hauteur du grenier-séchoir, constituent l'ornementation linéaire ; ici le pan de bois est exceptionnel.

L'**église Saint-Etienne** (XIᵉ siècle) a été largement remaniée ; ainsi l'on y connaît des éléments romans (colonnes à chapiteaux) gothique (chevet, ouvertures en arc brisé), baroque (retable fin XVIIᵉ), voire « moderne » (porche, mobilier). L'édifice, bien que massif, devient presque élégant avec son clocher (1790) et ses clochetons pointus émergeant de frondaisons. La porte des *cagots* (les *agotak*), qui habitaient à *Michelena*, a été murée et masquée.

Le **fronton** principal a été construit en 1857 sur demande des d'Abbadie d'Arrast (voir *Hendaye*), puis exhaussé

en 1924. Il est certes moins célèbre que le **pont « romain »** (en réalité du XVIIᵉ), d'une seule portée en fort dos d'âne.

Les environs réservent de superbes points de vue sur monts et vallées. A *Adartza* (1 250 m), les ruines d'une **redoute romaine** dominent un panorama qui porte jusqu'en Arbailles et Aspe. A *Oilandoi* (ou *Oylarandoy*, 933 m), une chapelle (1706), restaurée à plusieurs reprises (1941, 1985) marque les restes d'un ermitage (1740-1792). La **forêt de la Hayra**, enfin, clôt le territoire des Aldudes, où veille une redoute sur la limite des Navarres.

Sur la D 15, **Irouleguy** (*Irulegi*, 4 km E. de Baïgorry) a assis sa renommée grâce aux cépages produisant le seul vin du Pays basque nord, rouge ou rosé, qui donne « *cœur à vivre et esprit pour quatre.* » Ce vignoble, déjà connu au XIᵉ siècle, fut attesté au XVIIᵉ.

Le « pont romain » franchit la Nive, face au château médiéval d'Etxauz.

SAINT-JEAN-DE-LUZ
(Donibane-Lohitzun ; Labourd)
15 km S. de Biarritz.

Cet ancien repaire corsaire et port baleinier a pris naissance dès la fin du IXe siècle près des embarras vaseux de la Nivelle ; la cité n'était encore que « Saint-Jean-de-la-Boue ».

De tous temps les *Luziens* ont été des marins incontestés. Embarqués dès le Xe siècle sur de frêles esquifs, ces hommes vont, comme leurs voisins du Golfe, défier les baleines. Le prélèvement est tel qu'il faut, au XVe siècle, s'aventurer très au large, et de mille en mille atteindre les parages du Saint-Laurent ou de Davis ; on deviendra ainsi découvreur et morutier jusqu'au début du XVIIe. Fait d'époque — chasse et pêche sont interdites sur le Grand Nord —, mais aussi soif de gloire, les marins se transforment en *coursiers*, activités plus honorifiques et lucratives ! Du XVIe au début du XIXe (env. 1820) plus de cent navires menés par des gentilshommes-capitaines de renom (beaucoup ont leur rue dans la cité) écumèrent toutes les eaux : abordages, rançons, démantèlement de batteries ou de positions côtières sont liés à des sauf-conduits permanents. Plus au large, certains feront la route des épices et biens précieux, achevant leurs jours couverts d'honneurs, de titres et de privilèges, avec l'aval des plus grands de l'époque.

Vue générale du port, de l'église, et des demeures des anciens armateurs luziens.

Durant ces temps bénis, Saint-Jean s'est garni d'**admirables édifices**, face vue des richesses accumulées : les rues Vauban, Mazarin, Sopite ou Gambetta en conservent, construits *après* les ravages espagnols de 1525 et 1558 (seule la maison *Esquerrenea*, rue de la République, est antérieure). Deux superbes immeubles, biens de ces riches armateurs-corsaires, sont en outre marqués par l'histoire. L'un, *Mocœnia* (1643), plus connu comme **maison de Louis XIV**, préside aux destinées de la place principale. C'est un hôtel particulier construit par J. de Lohobiague, à tours carrées ou tourelles sur de délicates trompes, grandes arcades de plein cintre, toits d'ardoises. L'intérieur et les appartements se visitent ; divers aménagements sont l'œuvre de charpentiers de marine. Le jeune roi Louis XIV logea plus d'un mois au second étage, dans l'attente de son union avec Marie-Thérèse ; les époux y consommèrent leurs noces. C'est justement dans le second bâtiment, *Joanœnia* (1640), ou **maison de l'Infante** que séjourna, face au port non loin du futur Roi-Soleil, Marie-Thérèse d'Espagne accompagnée de la reine mère Anne d'Autriche (Mazarin étant à Ciboure). La maison, qui appartenait aux Haraneder, est un beau logement en pierres et briques, avec tours d'inégale largeur, grande porte à gable frappé d'ancre et prunier, les armoiries du maître.

Le mariage royal eut lieu le 9 juin 1660. La cérémonie avait été précédée de fastes considérables durant trente jours : défilés princiers harnachés et enrubannés, danseurs, jeux terrestres ou nautiques, prestations des notables de la cour. Saint-Jean était devenu le « *pétit Paris* » au détriment de Bayonne « *son escuderie* » (écurie). Les épousailles, qui scellaient aussi le traité des Pyrénées (novembre 1659) se montrèrent exceptionnelles ! La grande porte de l'**église Saint-Jean-Baptiste** fut murée une fois les cortèges sortis, occultation toujours visible et marquée d'une plaque.

Sur fondements romans (XIIᵉ), repris, brûlé, le monument gothique (XIVᵉ-XVᵉ) a été très agrandi entre 1649 et 1650, puis restauré ou modifié (XVIIIᵉ, XIXᵉ). C'est l'une des plus *somptueuses* églises du Labourd. Les remaniements ne gâchent en rien l'allure générale de l'œuvre, non plus que certains détails ; on remarque ainsi une élégante balustrade forgée sur l'escalier extérieur des tribunes (1855), ou un portail flamboyant (1868). Les proportions internes sont si bien étudiées que les trois étages de lourdes galeries (cinq en fond) — restaurées sous Napoléon III — s'intègrent dans la nef avec une aisance rarement égalée. Le décor du chœur est luxueux ; notons la double voûte ogivale à festons et arabesques ; l'autel très surélevé (art basco-cantabrique) bordé d'une grille forgée et coiffant une sacristie à parements sculptés ; le retable (1670) à trois étages de statues, colonnes torses et entrelacs ; les jeux d'orgue (1656) ; les objets d'art ou d'histoire : lutrins (1667), habits brodés du mariage de Louis XIV, *ex-voto* (l'« Aigle », bateau offert par l'impératrice Eugénie *voir Ciboure*), tableaux de valeur...

La guerre maritime, les traités d'Utrecht (1714) et la fin de la *course* terniront peu à peu l'image et la prospérité de la ville la plus riche de la Côte. Les morutiers vont passer au thon, d'abord en baie, puis bien au-delà de l'Artha, enfin très loin comme au temps des hauturiers. Aujourd'hui, les marins partent pour de longues semaines sur les côtes d'Afrique, équipés de navires frigorifiques munis de *sonars* : le retour des bateaux et de l'équipage reste toujours un événement. Le rite du déchargement au **port** devient le moment privilégié : couleurs, odeurs, bruits et bousculade, puis criée, sont au rendez-vous même si les plus gros des bâtiments accostent à Bayonne.

La tour Saint-Jean-Baptiste domine le port aux vaisseaux enrubannés.

Place Louis XIV, foyer d'animation et cœur de la ville.

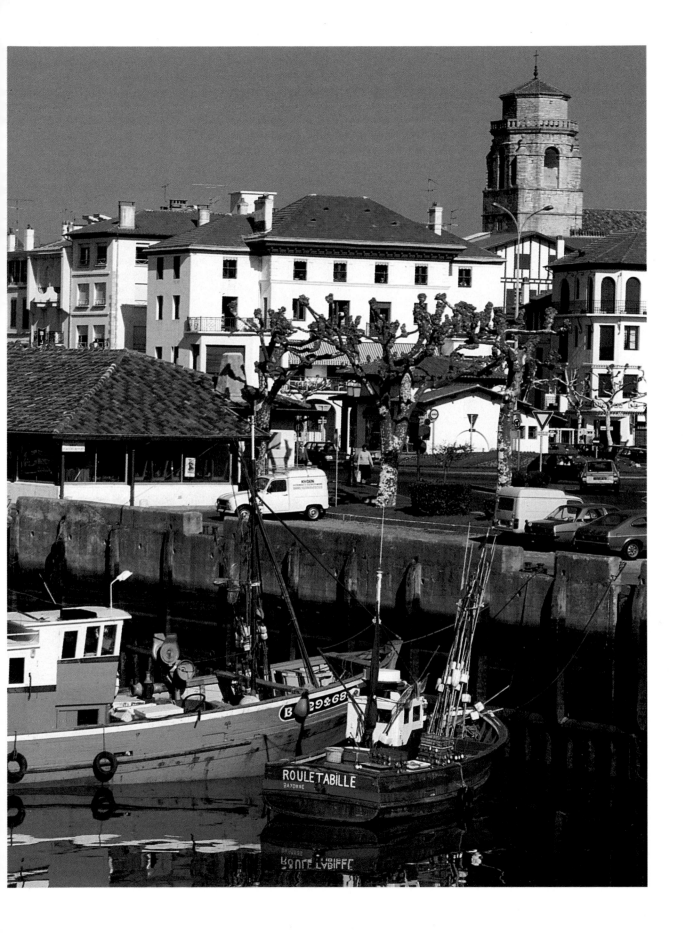

Saint-Jean a porté également ses chances vers le tourisme. L'été, c'est la fête permanente dans les vieilles rues et aux alentours du port, notamment sur la **place Louis-XIV** (ancienne place Royale). Ce grand espace ombragé de platanes en charmilles est un agréable pôle d'attraction, qu'occupe en son centre un kiosque Belle Époque ; sur ses flancs, une succession de commerces et de cafés, veillés par la *statue équestre* du Roi-Soleil. Ce bronze martial attire l'attention sur un bel escalier menant à la **mairie**, édifice de 1654 à couronnement de volutes et courbes, balcons à consoles, et balustrades très espagnoles.

Le mouvement des bains de mer date de Napoléon III, qui soutiendra le début de vrais grands travaux (1867). La **plage** s'étire en ovale régulier entre le chenal du port (face à Ciboure) et le promontoire de Sainte-Barbe (falaise à plis spectaculaires). Très protégée par trois digues, la baie est gage de sécurité pour la baignade, la planche et la voile. Le **front de mer** aligne une série d'édifices aussi bien modernes qu'entre-deux-guerres, souvent néo-labourdins, quelquefois arts déco (casino, 1928). D'ici à la passe, d'autres maisons datent aussi de la fin du XIXᵉ et du début XXᵉ : clochetons, pergolas, bow-windows, céramiques, vérandas… sont fréquents. Le tout s'abrite derrière une digue-promenade du XIXᵉ ; plusieurs tempêtes folles avaient emporté, les siècles passés, des dizaines de maisons (1749) ou tout un quartier et son couvent (1783).

Ces risques sont maintenant effacés et l'on peut goûter, le soir venu sur la baie, au charme de la noria des ligneurs bleus ou verts à filets blancs et flotteurs à fanions multicolores. Ces dizaines d'embarcations lèvent sardines, anchois ou *chipirones* qui font la renommée culinaire de la région. Puis sur le coup de minuit, l'on donnera, place Louis XIV, l'étonnant *toro de fuego*, taureau de carton chargeant parmi la foule dans un délire d'étincelles avant de mourir très haut dans le ciel sous forme d'une couronne de feu.

Thoniers et Sardiniers sont régulièrement repeints de vif.

Aphat-Ospital, chapelle romane abandonnée sur un tracé jacobite.

Antiques tombes discoïdales, âmes du Pays. ▶

SAINT-JEAN-LE-VIEUX
(Donazaharre ; Basse-Navarre)
ET LE PAYS DE CIZE (Garazi)
4,5 km E. de Saint-Jean-Pied-de-Port

Pendant des siècles, ce village rivalisera avec Saint-Jean-Pied-de-Port afin de garder la suprématie de Cize et de ses *maîtres-ports*. La revendication n'était pas sans raisons, puisqu'y avait déjà prospéré l'une des rares garnisons romaines du pays : *Immus Pyrenœus*, gardant le pied d'Ibañeta. Ce **castrum** établi à la fin de la conquête d'Aquitaine était tactique (observatoire sur les Pyrénées) et technique (mines de haute vallée). Les légions y établirent ainsi leur hégémonie du Iᵉʳ au IIIᵉ siècle ; des

fouilles ont mis au jour des constructions (thermes, allées pavées...) et matériaux divers.

Au cours du IIIᵉ siècle, les invasions détruisent l'antique cité, tandis qu'évangélisation et pèlerinages décident de l'édification de nouveaux ouvrages autour de foyers de culte. L'**église Saint-Pierre d'Usacoa** date des XIIᵉ (portail très typé à chapiteaux historiés, bestiaire du fabuleux) et XIIIᵉ siècles (arcs d'enfeux face nord). En partie ruinée lors des guerres de religion, elle sera reconstruite vers 1610, puis restaurée fin XIXᵉ. D'autres sanctuaires (Saint-Jean avait privilège de trois paroisses) ont traversé les siècles avec plus ou moins de heurts. Dans le *quartier*

d'Urrutia (S.-O. du bourg) restent quelques vestiges d'une chapelle romane ; un peu au sud, le **château d'Harrieta** (XIIIᵉ, très modifié fin XIXᵉ) où se tinrent les délibérations de la *junte* (assemblée de notables) de Cize. Au *hameau de la Magdeleine* (sortie O. vers Saint-Jean-Pied-de-Port) un édifice mieux conservé possède un portail ogival de grès rose et des enfeus voûtés. En sortie E. (vers Saint-Palais) la route élargie récemment frôle *Saint-Blaise*, sanctuaire roman (vers 1100) appelé **Aphat-Ospital**. Cette chapelle d'un hôpital refuge de Compostelle, mutilée, est transformée en remise ; mais il en reste le portail ogival à triple voussure, une croisée polylobée, et l'appareillage

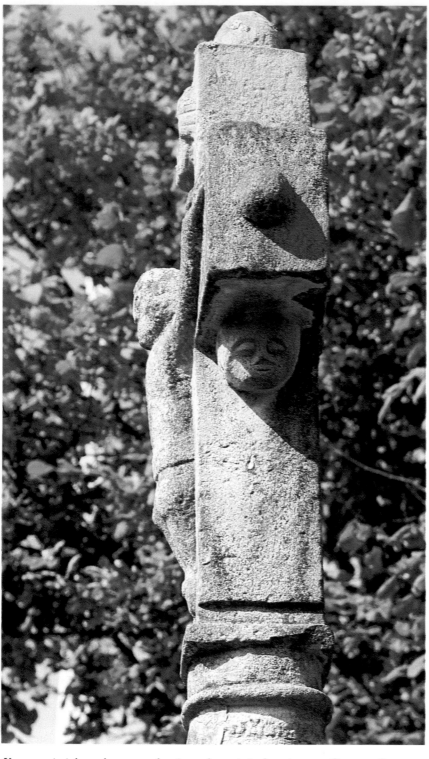

Une « croix-jalon » borne un chemin ou la croisée de voies vers Compostelle.

enrichissent aussi l'harmonieuse Cize moyenne et basse. L'habitat y est élégant, l'habillage lapidaire recherché marquant l'influence navarraise du XIᵉ au XVIᵉ siècle. On verra ces belles demeures à claveaux et parements (XVIIᵉ, XVIIIᵉ) notamment à **Caro**, **Jaxu**, ou **Bustince-Iriberry** (*Buztince*). Près d'une vingtaine de maisons nobles, salles ou manoirs s'ajoutent à la construction plus classique de cette vallée. A **Ispoure** (*Izpura* ; sortie N. de Saint-Jean-Pied-de-Port) par exemple, la puissante *Larrea* (XVIᵉ) sur les premières pentes de l'*Arradoy* s'orne de portes ogivales, de croisées à meneaux et d'une tour. Le château de **Lacarre** (*Lacarra*, 4 km N., XIIᵉ, retouché au XVIᵉ, très remanié au XIXᵉ) contient un mobilier Empire et des souvenirs du comte-maréchal Harispe (1768-1855). Le château d'Apate à **Bussunarits** (*Buzunaritze-Sarrasketa*) ; 1 km E.) modifié au XVIIᵉ est paré d'armoiries. Bernard d'Etxeparre, vicaire général de Navarre, naquit, pense-t-on à *Sarrasquette* ; il est l'auteur d'un des plus anciens recueils de poèmes à la gloire de la « *langue des Vascons* » (1445).

On ne peut échapper à la découverte de la Cize sans vagabonder aussi autour des lieux saints. Les églises d'**Ainhice** (*Ainiza* ; statues XIIIᵉ, enfeus), d'**Aincille** (*Aincile* ; Vierge du XIVᵉ), de **Gamarthe** (*Gamarte* ; tableaux, lutrin de bronze), de **Bussunarits** (statuaire)... ne sont que quelques idées. De même, partir à la recherche des croix-jalons sur gradins et fûts devient un thème en soi. Il en existe à plusieurs croisées d'anciens itinéraires jacobites ; les plus belles sont à **Gamarthe** (*croix de Galzetaburu* = « le début de la chaussée » ; elle borne aussi la fin du pays de Cize, la moitié du chemin entre Soule et Labourd) et à **Caro** (XIXᵉ, à Christ naïf et Vierge ; « *peut-être un des sommets de l'art populaire basque* » selon B. Duhourcau).

Par Caro, Saint-Michel et Honto, se gagnent plein sud les tracés de plus en plus effacés (ou goudronnés) de la *voie romaine* et de la *route Napoléon*. Les restes de la **redoute de Château-Pignon** (1 085 m ; XVIᵉ-XVIIIᵉ) et ceux de l'étrange **tour d'Urculu** (1 419 m ; trophée pompéien ou forteresse archaïque ?) représentent l'importance historique qu'eurent ces passages et ces montagnes.

méticuleux de la nef, mangés par le lierre.

Le **pays de Cize** est une région de grande unité, avec une foule de villages et hameaux installés le long de la vallée N.-E., concentration assez inhabituelle en Pays basque. Ce terroir agricole doit sa maintenance économique au système de *syndicats* (plus de 16 000 ha en estives). Mais prairies et cultures

Saint-Jean-Pied-de-Port, rue animée en ville close.

L'église Notre-Dame et les vieilles maisons de la basse-ville.▶

SAINT-JEAN-PIED-DE-PORT
(Donibane Garazi; Basse-Navarre)
34 km S.-E. de Cambo-les-Bains

On ne peut qu'être élogieux pour cette ville où chaque construction suscite de l'intérêt, où chaque pas fait retourner dans le temps.

La cité prit naissance fin XIᵉ début du XIIᵉ siècle, sous la dynastie des Sanche, rois de Navarre. Au XIIIᵉ, un « *garde des ports* » gouverne ce qui n'est encore qu'une place forte, mais maintient l'étau sur la confluence des Nives et du Laurhibar en province d'Outre-Ports (*merindad de Ultra Puertos*). Un château commande la position, dont Charles le Mauvais fera en 1367 un site privilégié ; Saint-Jean devient en outre demeure épiscopale des évêques (rattachés au roi de Navarre, donc à Clément VII, pape d'Avignon) lors du Grand Schisme d'Occident (1375-1417). Maintes fois assiégée de 1512 à 1530, la bourgade passe aux mains des rois d'Aragon et de Castille, puis de France. Réduite, elle est abandonnée demi-ruinée lors de la retraite de Charles Quint, puis à nouveau dégradée pendant les guerres de Religion ; les armées calvinistes de Montgomery brûlent sainte Eulalie, exterminent les prêtres (1569). Pourtant, la rénovation civile reprend ses droits et le chevalier Antoine Deville, ingénieur militaire, commence une réhabilitation de la citadelle à par-

tir de 1643. Contrairement à ce qu'il en est dit, Vauban n'est en rien dans cette construction : il se contentera, en 1685, de juger les travaux inaptes à résister aux attaques. Ses propres études ne virent qu'une exécution partielle, de 1716 à 1728, les redoutes du Génie (1778-1794) transforment plus tard Saint-Jean et ses environs en vraie forteresse. Ceci lui permettra de résister remarquablement aux assauts de Wellington et Mina avant que ne survienne la reddition à Louis XVIII en 1814.

La **citadelle** domine la ville et la Nive. Ce belvédère à bastions obtus couvre l'emplacement primitif du château médiéval (donjon rasé en 1684). L'entrée principale, par la rue de la

Une partie des épais remparts qui ceinturaient le bourg.

Notre-Dame est édifiée en pierres rouges « du Pays ». ▶

Citadelle, fait face à l'O. Cette *porte du Roy* est rehaussée d'un clocheton baroque tandis qu'en avant-poste un arc garde le premier saillant. Les bâtiments intérieurs, autrefois corps d'officiers, soldats ou locaux de réserves, sont devenus un pacifique collège : l'ouvrage fut acheté en 1936 par la ville. Le fortin aurait pu souffrir d'austérité ; il est au contraire allégé par les glacis ombragés d'énormes arbres, les chemins de ronde, demi-lunes et courtines permettant promenades et vues intéressantes.

Les **remparts** (remaniés aux XVIIIe et XIXe), percés de passages et portes, donnent accès aux rues et quartiers hauts, parfois par des escaliers à poternes. La *porte du Marché* conserve un arc ogi-

val et l'appareillage des premières fortifications ; la *porte Notre-Dame*, près de l'église, est un autre vestige de ces murailles du XVe.

Ce passage fait face au **pont Notre-Dame** (pont Vieux), courbe de grès violet à tablier en léger dos d'âne ; les *allées d'Eyheraberry* débutent à hauteur de cet ensemble. Le **pont Neuf** (1900) aboutissant place De-Gaulle donne l'admirable vue sur la rivière cristalline, qui concentre la foule des visiteurs. L'arche du pont Vieux, le reflet des anciennes maisons aux balcons débordant de fleurs, la vénérable église composent un décor sans pareil. Enfin, le **pont d'Eyheraberry**, très arqué, étroit, n'est pas « romain » mais fut plus sim-

plement jeté vers 1634... ce qui n'ôte rien à son esthétique.

L'**église Sainte-Eulalie d'Ugange** (XIe-XIIe), dont des vestiges romans sont replacés sur l'hospice, assura le rôle paroissial. L'**église Notre-Dame** (dite aussi : du Bout-du-Pont ; Saint-Jean à sa fondation) reprit cet office après avoir été chapelle de quartier. Remontant au XIIIe siècle, cet édifice gothique a subi de nombreuses transformations. Le chœur ogival de proportions *rayonnantes* est relativement dépouillé malgré des chapiteaux, baies à feuillages sculptés, et piliers de grès rosé se détachant sur un fond blanc. Le portail *flamboyant* à colonnettes date en partie de la fin du XVe (tympan refait en 1860), tandis que

la nef à contreforts fut surélevée vers 1869.

La visite de la ville demande bien sûr un examen soigneux d'au moins quelques rues typiques. La **rue d'Espagne** (vieille rue Saint-Michel) montre bien alignées et serrées des maisons de type navarrais ; les plus modestes n'en sont pas moins enjolivées par de larges cintres en grès d'Arradoy, parfois bicolores. Cet axe fut (et reste) très commerçant : les linteaux, cartouches, abouts de poutres décrivent naïvement les métiers : barbiers, maîtres serruriers ou bourreliers, boulangers, notaires, et authentifient propriétaires, dates de construction ou de réparation (1710 à 1789). La *maison des États de Navarre* (1610, monogramme IHS) servit aux délibérations de ces états entre 1758 et 1789.

La **rue de la Citadelle** (vieille rue San Pedro) est encore plus prolifique en beaux et vieux immeubles (1510 à 1830). Chaque détail frappe par son art, même si quelques édifices méritent une attention plus prononcée. Les étages d'*Arcanzola* comportent un superbe remplissage de briques en épis entre

pans de bois à peine dégrossis ; c'est la maison natale (1531) de Jean de Mayorga, jésuite martyrisé en 1570 au large des Canaries par des corsaires calvinistes. La *maison des Évêques* (1584) aurait abrité (la date du linteau est peut-être celle d'une rénovation) trois prélats « dissidents » (voir précédemment) en 1383, 1385 et 1413. A ses côtés, l'immeuble austère se désigne comme la *prison des Évêques*... où aucun ne fut incarcéré ! Datant du XVIᵉ pour le plain-pied, du XIIIᵉ pour le sous-sol (?), on ne sait trop de l'histoire de ce mystérieux cachot. Le niveau rue fut salle d'arrêt au XIXᵉ et comporte six cellules. La salle basse, accessible par des marches usées et glissantes, est une cave gothique à voûte sur doubleaux, à peine éclairée. La présence d'un réduit sinistre, de chaînes à boucles et de carcans muraux démontre l'utilisation de ces lieux sans réelles archives.

Sur la **place De-Gaulle** (du Marché), la *maison Mansard* (XVIIIᵉ, actuellement hôtel de ville), de pierres taillées avec blasons armoriés fait face aux remparts. On a récemment déplacé le bas-relief en bronze (1934) relatif à Juan de Huarte,

médecin-humaniste (1529 ?-Madrid 1590), précurseur de l'eugénisme. Ic[i] naquit encore le grand avocat politicie[n] Charles Floquet (1828-1896), célèbre e[n] outre pour un duel où il blessa grièvement le général Boulanger. La ville regorge encore de monuments e[t] d'informations ; ainsi la *rue de l'Églis[e]* (du Marché), le *quartier d'Ugange*, l[e] haut *quartier d'Uhart*, comptent parm[i] les circuits à envisager. Et les foire[s] d'été ou les marchés hebdomadaire[s] ouvrent des prétextes supplémentaires [à] ces itinéraires...

La proximité de l'*Altobiska*[r] (Angarda Rollan médiéval) et de l'uni[-] que **collégiale** (XIIᵉ-XIIIᵉ) de **Roncesval[-] les** (*Ronceveaux* ; *Orréaga*, 30 km S[-] par **Huart-Cize**) s'associe à un haut-fai[t] de l'histoire de France, mêlé de beaucoup de légende. C'est en effet ici qu[e] le 15 août 778, tombèrent Roland et so[n] arrière-garde. Le souvenir de ce guet-apens dressé par les montagnards navarrais refusant l'autorité carolingienne ne s'est pas effacé. A vous donc de le revivre tout au long de la percée du *Valcarlos* qui mène à *Pampelune*.

Entre monts et ciel tourmenté.

◀ *Ce délicat linteau identifie le constructeur-propriétaire de l'habitation.*

SAINT-PALAIS (Donapaleu ; Basse-Navarre)
29 km E. d'Hasparren

Cette ville occupe depuis le début du XIIIᵉ siècle une situation privilégiée entre Joyeuse et Bidouze du pays de Mixe, l'*Amikuze* ; le Béarn et les Landes se rejoignent au nord, l'Océan ou l'Espagne ne sont qu'à une heure de route. Ces avantages en firent un carrefour commercial au nœud des domaines de Navarre, de Gascogne, et de France ; on frappa même des monnaies dans cette capitale de Basse-Navarre des XVIᵉ et XVIIᵉ siècles, qui connut cependant des revers : guerres et ravages (XVᵉ-XVIᵉ), répressions révolutionnaires (elle se nomme alors Mont-Bidouze) et napoléoniennes...

Saint-Palais s'affiche en centre très commerçant, ni désuet, ni empêtré de faux modernisme. Il draine tout ce que le monde agricole et artisanal contient dans la région ; le marché est ici une fête renouvelée chaque semaine, même si les transactions demeurent animées, voire impitoyables.

Entre deux de ces foires — qu'il est recommandé de suivre — vient le moment propice pour apprécier dans un calme retrouvé le point de vue ménagé sur la rivière ; non loin émerge le clocher de l'**église Sainte-Madeleine** (fin XIXᵉ) où ont été rassemblés divers objets d'art de l'église Saint-Paul, désaffectée. Les détours de la promenade conduiront à la **maison des Têtes** (salle d'Erdoy, *Behoteguia*) aux figurines sculptées dans les murs, représentation de personnages connus (Henri II, Henri III...) ou mystiques. Les armes du propriétaire, l'historien Arnaud d'Oihénart (1592-1679) apparaissent sur une porte latérale. Cet

humaniste — aussi bibliothécaire des ducs de Gramont — a laissé une masse de poèmes, proverbes, ouvrages et transcriptions, déposés à la Bibliothèque Nationale. Le **musée historique de Basse-Navarre** (1986) permet de mieux comprendre Saint-Palais, ses attaches et ses environs, grâce aux sections qui y sont présentées (la ville, la province, les pèlerinages). Près du **mont Saint-Sauveur** (275 m ; 2 km S.) passait en effet un chemin de Compostelle dont on peut imaginer le tracé et les détours, aidés par la **stèle d'orientation** (1964) dite de *Gibraltar*.

Francis Jammes, qui vécut quelques années d'enfance rue du Palais-de-Justice aimait cette vallée de « *la Bidouze, glauque et lente dont les jonchaies au crépuscule favorisaient les concerts et le clapotis des grenouil-*

L'étoile d'orientation — dite de Gibraltar —, à Saint-Palais.

Garris renferme d'élégantes demeures, restaurées avec bonheur.

les... ». Il est vrai que le pays est agréable et riche, parsemé de villages attirants.

Passons au moins par **Arbouet-Sussaute** (*Arboti-Susota* ; 5,5 km N.) à l'aimable église ornée d'un beau portail roman ; dans la région de **Camou-Mixe** (5 km N.) dont l'habitat transitoire annonce le Béarn sans renier le Pays basque ; et surtout à **Garris** (*Garuze* ; 2,5 km N.-O.), aux superbes habitations, chefs-d'œuvre d'architecture et témoins de la prospérité du bourg, qui eut château et gouverneur ! Ce renom,

dû aux foires régionales, s'éteignit peu à peu tandis que Saint-Palais, sur autorisation de Jehan d'Albret, prenait le pas sur les commerces et professions bourgeoises (notaires, chirurgiens, gros marchands...). La **place** de Garris aux chênes multicentenaires voit encore en août une très grande foire à bestiaux, la plus ancienne du Sud-Ouest. La maison *Pédelux* (1643), restaurée avec goût, rehausse ce cadre de verdure ; on y remarque des briques artistiquement disposées entre les colombages des étages. Cette structure originale réapparaît dans

toute la rue principale. Les constructions, plus ou moins cossues, datent surtout des XVIIᵉ et XVIIIᵉ siècles ; l'ornementation sur pierre (abouts de murs, belles têtes sculptées) ou sur bois a été privilégiée par les artisans d'alors et favorisée par les riches propriétaires (*Urdosia, Pelegrinia,* maisons nobles du XVIIᵉ). Autant d'opulence qui laissa probablement indifférents les soldats des troupes de Wellington et d'Harispe. Leurs affrontements firent, non loin d'ici, plus de 500 victimes en 1814, prélude à la chute de Napoléon.

Une superbe maison à colombages et briques.

SAINT-PÉE-SUR-NIVELLE
(Senpere ; Labourd)
13 km E. de Saint-Jean-de-Luz

Petite cité en plein cœur du Labourd, Saint-Pée, gaie et ordonnée, attire une foule de visiteurs toute la saison. Le paysage rural qui l'entoure, modelé de collines, sillons de feuillus et de déprises, n'est pas étranger non plus à cet attrait ; et la Nivelle y traçant une série de méandres (*plaine d'Amotz*) ajoute un charme complémentaire.

La ville est attestée au XII siècle, mais se situait alors à *Ibarron*, à 2 km à l'O. : y subsistent de vieilles fermes. Au XIV, le bourg actuel s'étoffe à partir d'une maison noble (*Gastambidea*) ; elle donnera plusieurs baillis tandis que des familles de « chirurgiens » et de commerçants apporteront la richesse locale. Pierre de Lancre fit ici aussi régner la terreur. L'auteur du « *Tableau de l'inconstance des mauvais anges et démons, où il est amplement traicté des sorciers et de la sorcellerie...* » (1612) brûla vifs des dizaines d'hérétiques (femmes et enfants surtout) au **château** (XIV-XV-XVII). Il reste quelques ruines, malheureusement peu représentatives, de cette « *tour des sorcières* » : donjon carré, pans de murs, porte ogivale et portail (1704), ouvertures Renaissance. Il faut dire que l'édifice fut défiguré à plusieurs reprises (XV, XVIII...).

L'**église Saint-Pierre** (XII-XIII) a été très remaniée (notamment vers 1610). C'est principalement à l'intérieur qu'on appréciera le sanctuaire : tribunes, retable et statuaire (XVII), vôute à nervures, dalles funéraires (*les jarlekus*). Elle fut longtemps le centre des *assemblées capitulaires*, regroupant les *maîtres de maison* à l'issue de l'office dominical ; contrairement aux autres paroisses labourdines, le seigneur de Saint-Pée et le sieur d'Urtubie à Urrugne avaient autorisation de participer à ces délibérations.

Plusieurs **maisons** *bourgeoises* (XVII, XVIII) sont remarquables par leur allure et leur importante décoration ; elles se situent surtout dans la rue principale. Ici fut inventé le *chistera* (1857), gant d'osier qui prolonge le bras des *pelotaris* sur les frontons d'Euskadi et... d'Amérique.

En haut : *Le retable richement décoré de l'église Saint-Pierre.*

En bas : *La tour rongée par le lierre est l'un des restes du sinistre château de Saint-Pée.*

Incomparable construction de la nature : Kakouetta.

SAINTE-ENGRACE
(Santa Grazi ; Soule)
19 km N. de Tardets

Passé Tardets et Licq, la D 113 remonte la vallée de l'*Uhaïtxa* (la rivière aux pierres), laissant la branche S.-O. qui mène à Larrau. On ne traverse guère d'agglomération, mais des *quartiers* isolés : *La Caserne, Calla, Senta*, regroupant quelques maisons. Sur les pentes de ce *Val Senestre*, des atomes de fermes aux toits pentus accompagnent une myriade de granges et de bergeries.

La solitude préserve des atteintes de la civilisation un cirque pastoral de plus en plus resserré, où est érigé un prestigieux sanctuaire. Ce havre de soins et de prières était l'ultime étape des pèlerins avant le franchissement des crêts vers Roncal et le *camino frances*.

L'**église** (XIIᵉ), classée monument historique, est vouée au culte de Santa Gracia, devenue sainte Engrâce. Noble espagnole victime des persécutions de Dioclétien et Maximin (IIIᵉ siècle), son corps fut déposé en la cathédrale de Saragosse. Des larrons substituèrent la châsse chargée de bijoux — qui contenait un bras — puis l'abandonnèrent en un lieu nommé *Urdaix*. Là fut dressé un premier oratoire. Le reliquaire disparut à nouveau au XVIᵉ, les calvinistes livrant le bras au feu. Aussi, en témoignage de solidarité avec les Souletins, Saragosse compensa-t-elle l'inestimable perte par le don de l'annulaire de la main droite, restée outre monts. C'est la *relique* qu'on vient adorer deux fois l'an.

L'ancienne abbaye (décidée au XIᵉ siècle par les rois de France, d'Aragon et de Navarre), de calcaire et d'ardoises, à demi-clocher, toits décalés et énormes contreforts (levés au XIXᵉ lorsque P. Mérimée encouragea la restauration et fit classer l'édifice) est d'une beauté prenante. A l'intérieur, les piliers du transept et des absides portent des chapiteaux tronconiques sculptés en ronde-bosse. Leur art naïf mais expressif (*roman évolutif*) conte des scènes bibliques ou profanes. Ces têtes de colonnes ont curieusement été rehaussées de peintures rouges, jaunes ou brunes au siècle dernier. Le chœur (retable espagnol et autel XVIIᵉ-XVIIIᵉ ; vie et supplice de sainte Engrâce) et les absidioles sont isolés par une superbe grille de fer forgé ; cette pièce de maître serrurier (XIVᵉ) protège aussi des statues et la relique de la sainte martyre.

Les **cañons** de Sainte-Engrâce, explorés pour la première fois en 1907, sont parmi les plus prodigieux de France. La

111

Landes et monts aux alentours d'Aïnhoa.

◀ *L'église de Sainte-Engrâce, édifice roman exemplaire, fut gîte et sanctuaire pour ceux de Compostelle.*

gorge de Kakoueta (*Kakueta*), aménagée pour le tourisme, s'ouvre près du *pont d'Enfer* et remonte jusqu'à une exurgence, terme de la visite. Des passerelles ou des sentiers en surplomb sur le torrent créent un parcours impressionnant dans une faille de plus en plus rétrécie et profonde ; au « *grand étroit* », large de 5 à 10 m, le soleil ne filtre que 280 m plus haut ! Partout, une végétation exubérante envahit les parois où suinte l'eau. La gorge se poursuit au-

delà du secteur touristique, que seuls des spécialistes peuvent remonter ; mais un sentier de crête (5 à 6 heures de circuit) permet la vision plongeante sur 4 km d'abîmes. Le **ravin d'Ehujarre** (*Uhaïtzarre*) se place à l'E., entre Calla et Senta. Moins réputé que le précédent parce que « *mort* » (il n'y a plus de circulation apparente d'eau), c'est pourtant une majestueuse construction naturelle ; au fond de cette auge profonde de 300 à 500 m, on peut randonner plus de trois

heures entre des parois abruptes et sauvages.

Sur l'ouest, les cirques dégagés du **Lakura** (1 877 m) accueillent les troupeaux, qui se retireront à l'automne ; l'hiver de Haute-Soule est rude et long. Sur l'est, c'est le domaine des immensités minérales d'**Anialarra** ; elles sont veillées par le dernier et plus haut bastion oriental, *Ahuñamendi, le* **pic d'Anie** (2 504 m), en terre béarnaise mais *montagne sacrée* des Basques.

SARE (Sara ; Labourd)
14 km S.-E. de Saint-Jean-de-Luz

Sare serait la « *Mecque de la contrebande* » ; souvenir d'antan, mythe, ou réalité encore vive ? En tout cas, la frontière cerne partout la commune, et *passer* est un simple « travail de nuit », le *ganazko lana*... Une autre popularité reste la chasse aux palombes, pratiquée en automne ; les emplacements très connus sont près du **Sayberri**, et à **Etchalar** où appeaux, pantières et cabanes haut perchées guettent le passage de l'*oiseau bleu*. Par-dessous, moutons et chevaux circulent en toute paix : les *faceries* donnent libre galop sur les *municipios* espagnos de Baztán, Echalar et Vera.

Pourtant, l'histoire ne fut pas toujours signe de bonheur ; le territoire dut à plusieurs reprises faire face aux envahisseurs, tant et si bien que Louis XIV l'en remercia (cartouche de 1693). Il se trouve d'ailleurs certaines maisons fortifiées, telle « *Haramburua* », à l'entrée de la vallée du Lissuraga, *dorrea* des XVIe-XVIIe. A la Terreur, des centaines de *saratars* furent déportés : ils avaient refusé le nouveau curé. Et vers le sud, les grottes servirent de refuge aux car-listes (1872-1876) qui y cachèrent un trésor (?)... des munitions, et un hôpital de campagne.

Le pittoresque village s'agence autour d'une vaste place centrale, sorte de patio très animé. Les **habitations** (XVIIe-XVIIIe) n'ont guère de colombages ; la « ville » est jointive, sur plan de bastide, et ces maisons carrées aux toits à quatre eaux sont dites « *bourgeoises* ». Certaines s'asseoient sur des rangées d'arcades plein cintre ou en anse de panier. Les volumes de la nef et du clocher carré de l'**église Saint-Martin** (début XVIIe, modifiés XVIIIe) frappent par leur importance. A l'intérieur somptueusement orné, l'intérêt peut notamment se porter sur le grand retable (tableaux anciens du début XVIIIe), la chaire peinte, et les trois étages de galeries. Un théologien de marque, Pedro de Axular (1556-1664) défendit ici la pureté de la langue basque ; son mémoire, *Gero*, parut en 1643.

Dans les environs, l'habitation rurale fait preuve d'une luxuriance de formes et décors. Les quartiers-rues de **Lehenbiscay**, d'**Ihalar**, d'**Histilarte**, possèdent les plus anciennes maisons (XVIe), dont la très belle ferme « *Ibarrart* » à porte ogivale. Sur fond de Rhune (Lis-suraga, Lizarietta) se sont construites les plus grosses *etxe*, dont le gigantisme n'enlève rien à l'esthétique. « *Lapitzea* » représente le modèle majeur de ces structures (XVIIIe), aux herbages généralement clos par de grandes dalles plantées dans le sol.

Les **grottes de Lezea** (7 km S.) sont aménagées. Constituées d'une immense voûte (admiration de l'impératrice Eugénie et de Mérimée !) et d'un réseau de galeries (certaines noyées, d'autres déboucheraient versant sud), elles furent l'abri des hommes du paléolithique. Les fouilles (fin XIXe, début XXe) ont livré un outillage abondant et des restes d'animaux (ours, renne, loup...). Après la Grande Guerre, les droits d'exploitation passeront du public au privé, les transformations pour la visite restant contestables.

De Sare, l'Espagne se rejoint par la D 406, au travers de beaux ravins boisés aboutissant au **col de Lissuraga** (250 m ; 6 km S.-O.). La D 306 suit un parcours sinueux et donne sur le **col de Lizarietta** (441 m ; 11 km S.) ; la vue y est plus dégagée, mais quel que soit l'itinéraire retenu, aucun de ces circuits ne déçoit le promeneur.

Le clocher trinitaire de Gotein-Libarrenx.

Les sillons gravés par les troupeaux marquent les collines : ici au col de la Madeleine près Tardets.▶

◀ *La chasse est un culte au Pays basque.*

TARDETS-SORHOLUS
(Atharratze-Sorholuze ; Soule)
ET LE SAISON
13 km S. de Mauléon-Licharre

La fondation de Tardets pourrait remonter à la période romano-bétique, quand fut élevé au **mont de la Madeleine** (795 m ; 5 km N. de la ville) un autel (à Vénus ?). Le sanctuaire, devenu Sainte-Madeleine d'Aranhe (XVᵉ), sera modifié fin XIXᵉ, puis restauré en 1961. De ce dôme, où le point de vue porte sur Soule, Barétous et Pyrénées, apparaît la ville longeant le Saison, ourlé de galets roulés des parois de haute Soule.

Rues déclives, plan carré de la place et voies en rayons, maisons sur arcades, commerces sous passages voûtés, tout définit la *bastide* créée en 1280, sur le secteur resserré de la vallée. Si le tourisme a ouvert certains horizons, la

vocation artisanale et de petite industrie reste un atout dans la commune. Les fabriques d'espadrilles et de linge basque, des ateliers de travail du bois (meubles régionaux) et un commerce important de fromages de brebis, se partagent un marché exigeant, très ouvert sur l'Oloronais.

Le **château de Trois-Villes** (2 km N.), XVIIᵉ, fut construit pour le comte-capitaine de Tréville, mousquetaire du Roy... et maître des forges de Larrau. Ce domaine d'« *Elizabea* », au centre d'un parc, est réalisé sur des plans de Mansart.

La **vallée du Saison** et ses écarts retiennent toute la richesse culturelle de Soule. Les nuances de la langue basque y sont subtiles, les fêtes et cérémonies traditionnelles marquées d'un endémisme évident. Telle est la *mascarade* (*ihauriti*), dont la thématique fait appel

à un mélange d'événements historiques, de motifs païens ou chrétiens, et de fantastique. La *pastorale*, autre forme voisine de jeu convivial, se construit sur des règles parfaitement définies, que perpétuent ou renouvellent quelques maîtres de cet art théâtral. La **maison rurale** s'intègre admirablement dans la région ; les murs sont bas, les toits trapus couverts d'ardoises et percés d'outeaux ou de capucines ; l'appareillage des maçonneries laisse parfois apparents des lits de galets posés en fougère. Mais ne nous y trompons pas ; malgré ces empreintes orientales, la Soule est profondément euskarienne de visage et de cœur.

Une grande originalité de cette vallée apparaît également dans l'art religieux. Les églises romanes ne font pas défaut, et celles de **Laguinge-Restoue** (*Liginaga-Atxue* ; 3 km S. de Tardets)

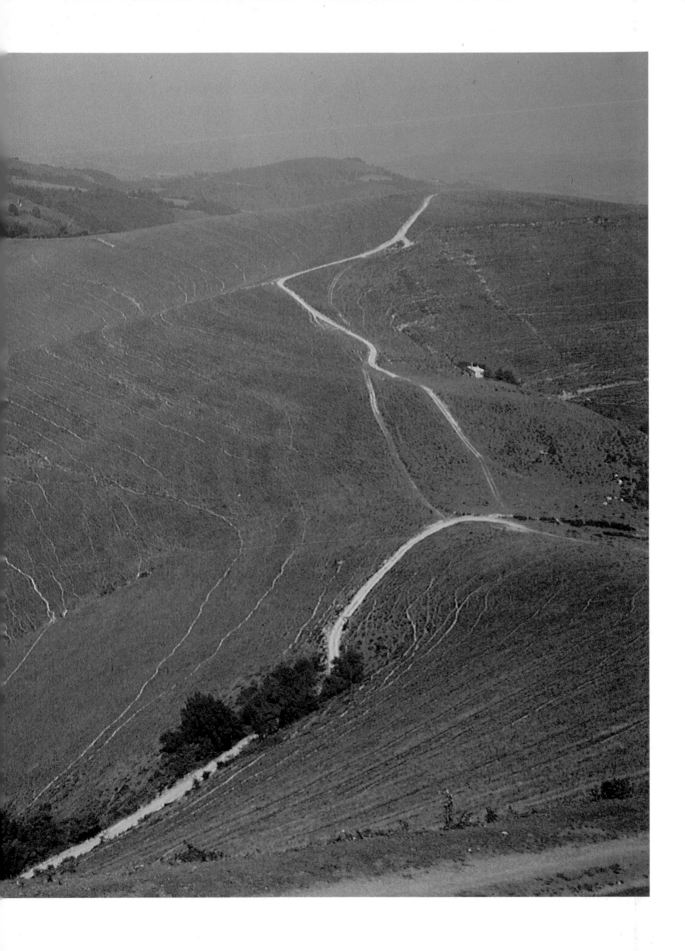

de **Sunhar** (*Sunhare* ; 4 km S.), de **Haux** (*Hauze* ; 7 km S.-E.) se signalent par leurs détails, (absides en cul-de-four, portails, ornements intérieurs...). Mais la curiosité principale réside dans la forme du clocher, devenu un *fronton trinitaire* : maçonnerie élevée à triple pinacle, dont la dent médiane est généralement plus haute (la Sainte Trinité). Le meilleur exemple est fourni par l'**église Saint-André** de **Gotein-Libarrenx** (*Gotane-Ibararne* ; 10 km N. Tardets), très bel édifice du XVIᵉ, à ne surtout pas manquer ; l'intérieur (voussures en berceau, retable et chaire de bois dorés, statues...) vaut l'extérieur. Pour qui veut s'imprégner d'un héritage si remarquable, d'autres églises méritent un examen complémentaire ; celles d'**Idaux** (*Idauze* ; 9 km N. par Menditte) ou de **Mendy** (Mendi ; 1 km S. d'Idaux) par exemple. L'église de **Saint-Etienne** (*Donatzebe* ; 5,5 km N.), au clocher-porche cubique à demi suspendu sur le pignon, fait exception au modèle de fronton-calvaire.

Terminons ce circuit informel du Saison par **Licq-Atherey** (*Ligi-Atereï* ; 6 km S.) ; secteur apprécié des pêcheurs de truites et des adeptes du canoë-kayak ; et proposons d'en sortir par **Montory** (*Montoi* ; 5 km E.). Ce village, dont l'**église Sainte-Marie** comprend un clocher-tour fortifié, marque la fin du Pays basque oriental ; quelques kilomètres au-delà, l'on entre dans le **Barétous**, première vallée des prépyrénéen béarnaises. La région, on s'en souvient, fut l'épicentre du *tremblement de terre d'août 1967*. Plus rien ne paraît aujourd'hui dans ce terroir, où, de toujours, les agréables paysages bossus et colorés des deux provinces se sont almagamés sans aucune discordance.

L'église de Lanne, en limite du Barétous et d'Euskadi.

L'église de Haux, en val dextre de Haute-Soule.

Vieux quartier de Licq-Atherey.

URRUGNE (Urruna ; Labourd)
5 km S.-O. de Saint-Jean-de-Luz

Primitivement Urruina, pillée pendant la guerre de Trente Ans, rattachée à Hendaye jusqu'en 1647, la bourgade s'aligne paisible à l'écart de la grande foule. Une pause permettra d'y visiter la belle **église romane Saint-Vincent-de-Xaintes** (fondements XIe) à parties Renaissance espagnole (portail à curieuse statuaire). Le mobilier est assez remarquable ; un bénitier à cloison (pour les *cagots*), des ornements et objets d'art (XVe, XVIIe, XVIIIe) dont une chaire sculptée encastrée dans les galeries, relèvent la noblesse intérieure.

A la sortie O., un chemin grimpe jusqu'à **Notre-Dame-de-Socorri** (du Bon-Secours) où le point de vue a dû autrefois justifier l'installation d'un camp fortifié, et d'anciennes redoutes sur les proches collines. Des tombes discoïdales voisinent avec celles des victimes du choléra (1833-1865).

Sur le N.-E., la voie vers Ciboure croise le **château d'Urtubie**, manoir (XIVe) à allure de maison forte. Louis XI y eut une entrevue avec le roi d'Aragon. L'édifice, ruiné en 1497, fut rebâti vers 1510 ; il est connu pour avoir abrité une multitude de grands personnages, dont des généraux napoléoniens. De précieux objets d'art, mobilier, tapisseries, y sont conservés.

Si l'on a choisi, par *Herboure* (8 km S.), la montée vers la frontière, ce sera dans un frais vallon où alternent vieux arbres et fougeraies. La route atteint alors le **col d'Ibardin** (317 m) ; véritable supermarché du tourisme frontalier, des dizaines de *ventas* proposent épicerie, poteries, luminaires, bijoux, cigarettes et victuailles dans une certaine cohue. La douane passée, **Vera de Bidassoa** n'est plus qu'à 7 kilomètres en contrebas.

En haut : *La place du Marché de Tardets.*

Au centre : *La minuscule église romane de Laguinge-Restoue.*

En bas : *En Barétous, le château de Lanne (XVIIe).*

USTARITZ (Uztaritze ; Labourd)
15 km S. de Bayonne

La grande dépression de la Nive, sous Cambo, ne se libère de l'étau montagnard qu'à hauteur du bourg. A quelques encablures de Bayonne, cette terrasse d'alluvions, couverte de verdure entretenue par l'humidité, reçut les semailles, dès 1523, de l'*artho-mairo*, le maïs qui contribuera à la richesse régionale.

Ustaritz s'étale dans ce cadre séduisant, que les brumes rasantes et le camaïeu automnal mettent mieux en valeur. S'imagine-t-on que la cité eut d'importantes fonctions du XIIᵉ siècle à la Révolution ? Elle fut en effet longtemps capitale du Labourd, les responsabilités étant assumées par une assemblée de Tiers État : ce « *biltzar* » gérait 35 paroisses, sous contrôle d'un bailli.

Les réunions populaires, d'abord tenues sous un chêne, puis au **château de la Motte** (XIIᵉ) — remplacé par la mairie — avaient aussi fonction de justice.

Le **séminaire** diocésain Saint-François-Xavier (1926) surplombe les quartiers de **Bourg-Suzon**, et du **centre** ; en bord de Nive, les moulins étaient nombreux et les berges recevaient *galupes* et *chalibardes* du commerce fluvial, jusqu'au XIXᵉ. Ces bourgades, ainsi que celles de **Saint-Michel** et d'**Herauritz** gardent encore des maisons des XVIᵉ au XVIIIᵉ, celles des collines étant généralement plus récentes.

Les frères Garat sont notoirement connus dans l'histoire régionale. Dominique-Joseph (1749-1833) fut ministre de la Justice sous la Convention et dut, à ce titre, signifier à Louis XVI la sentence de peine capitale !

L'ancien député au Labourd devint professeur à Normale (1794), membre de l'Institut (1795). Cet « *enfileur de mots* », selon Napoléon, eut une influence politique certaine entre 1789 et 1815, bien que désapprouvé par le *biltzar* pour ses revirements politiques. Pierre-Jean (1764-1823), l'un de ses neveux, était musicien à la cour de Paris ; l'origine du *garatisme*, ce parler sans « r » des incroyables, lui est attribuée.

Plusieurs villages, très proches d'Ustaritz, conservent maisons ou fermes de pur style labourdin. C'est pourquoi on peut au moins visiter **Laressore** (*Larresoro*), **Jatxou** (*Jatsu*) ou **Halsou** (*Haltsu*), dont les églises contiennent en outre de belles pièces d'art religieux . statues du XVᵉ au XVIIIᵉ siècle, retables du XVIIIᵉ.

Vue générale de la Côte des Basques, vers le Jaïzquibel.▶

Sur les plateaux reculés des Arbailles.

OCÉAN

ATLANTIQUE

Tarnos
Boucau
Adour
N 117
A 63
N 10
Adour

BIARRITZ **ANGLET** **BAYONNE**

Mouguerre

Chapelle Ste-Madeleine
Bidart

Arcangues

D 911
N 10
A 63
D 932
Nive
Route impériale des Cimes

Guéthary

Ustaritz

HASPARRE

D 255

Socoa
St-Jean-de-Luz
Ahetze
Jatxou
Halsou

Château d'Abbadie
Hendaye Plage
D 912
Ciboure
N 10
Urrugne
Nivelle
St-Pée-sur-Nivelle
Larressore
Cambo-les-Bains

Hendaye
Fuenterrabie
Béhobie
Ascain
Espelette

IRUN
Pasajes
A 8
Sare
Itxassou
D 918
Louhossoa

Bidassoa
La Rhune 900
Aïnhoa
Pas-de-Roland
*
PYRÉN

ESPAGNE
C 133
Dancharia
Bidarray

Bidassoa
121

Irouléguy
St-Étienne-de-Baïgorry
St

Nive des Aldudes

Banca

LE PAYS BASQUE

LANDES

Bayonne

Bilbao
San Sebastian
LABOURD

BISCAYA
GUIPUZCOA
BASSE NAVARRE
Mauléon
BÉARN

St-Jean-Pied-de-Port
SOULE

Vitoria
ALAVA
Pamplona

Les Aldudes

NAVARRA
Urepel

Roncesvalles
C 135

- - - Limite de Province
☐ Provinces basques françaises
▨ Provinces basques espagnoles
─── Limites du Pays Basque
- - - Limite d'État

0   50km

Légende

✝ Édifice religieux

■ Édifice remarquable

⑂ Point de vue, belvédère

✳ Curiosités diverses, beaux sites naturels

⛫ Château

∴ Ruines intéressantes

---- Limite de province

┅┅ Limite d'État

0   5   10 km

ATLANTIQUES

Peyrehorade

N 117

Gave de Pau

Orthez

Guiche

Bidache

Labastide
Villefranche

D 28

D 11

Salies-de-Béarn

D 933

Gave d'Oloron

Viellenave-s-
Bidouze

…idence
…nce

…âteau de
…elzunce

Sauveterre-de-Béarn

Arbouet

Camou

Sussaute

Saison

D 936

Isturits

✳ Grotte d'Isturits-Oxocelhaya

St-Martin

Méharin

D 14

Garris

St-Palais

D 933

Etcharry

D 11

Navarrenx

Armendarits

Charritte

Arrast

Iholdy

Uhart-Mixe

Larrebieu

…arry

Harambels

Bidouze

Abense

Moncayolle

Ostabat-Asme

Lantabat

Asme

Hôpital-St-Blaise

D 936

Gave d'Oloron

D 9

Ascombeguy

Suhescun

D 933

Château de
Maytie-d'Andurain

Mauléon-Licharré

Oloron-
Ste-Marie

Ainhice

Bunus

Col d'Osquich

D 918

Gamarthe

St-Just

Gotein
-Libarrenx

Barcus

Esquiule

Jaxu

Lacarre

Ibare

Ordiarp

Bustince

Chapelle Ste-Blaise
d'Aphat-Ospital

Bussunarits

Chapelle
St-Antoine

Féas

D 919

Iriberry

St-Jean-Le-
Vieux

Ahaxe

Hosta

Aussurucq

Chapelle de
la Madeleine

N 134

Alciette

Aincille

Bascassan

Lecumberry

St-Étienne

Mendive

Béhorleguy

FORÊT DES

ARBAILLES

Tardets-Sorholus

✳ Fontaine
d'Ahusquy

Camou

Sunharette

Lanne

Alçay-
Alçabéhéty

Restoue

Montory

Sunhar

Laguinge-Restoue

Chapelle
St-Sauveur

Haux

D 132

FORÊT D'IRATI

Licq-Athérey

Saison

D 26

⑂ Pic d'Orhy
2017

D 113

St-Engrâce

✳ Gorges d'Holzarté
et d'Holhadubi

✳ Gorges de
Kakouetta

Gave d'Aspe

Larrau

C 137

GLOSSAIRE

ABSIDE, ABSIDIOLES : extrémité en demi-cercle et chapelles du chœur d'une église.
BARDEAUX : lattes des toits ou tuiles en bois dur.
BORDE : grange, généralement en pierres.
BRETESSE : logette servant à la défense dans une façade.
CAPUCINE : petite lucarne dans les toits pentus.
CAYOLAR : cabane et enclos de berger en Pays basque.
CHAÎNE D'ANGLE : angles verticaux de murs en pierres de taille.
CHAMPLEVÉ : sculpture obtenue par creusement d'une surface plane.
CHRISME : monogramme du Christ.
CLAUSTRA : pierre ajourée en forme de grille.
CLAVEAU, CLEF : pièce axiale du cintre d'une baie.
COLOMBAGE : mur à pans de bois emplis de maçonnerie légère.
CORBEAU : pierre ou bois en saillie soutenant poutres ou corniches.
COYAU : pièce du toit prolongeant les chevrons au-delà du mur.
CUL-DE-FOUR : voûte en demi-coupole.
ÉCOBUAGE : brûlis pour débroussaillage et enrichissement du sol par les cendres.
ENCORBELLEMENT : partie en porte-à-faux sur un mur.
ENFEU : niche funéraire à fond plat.
GÂBLE : fronton triangulaire d'une baie ou d'une façade.
GOUTTEREAU : mur latéral en saillie sur la façade.
LINTEAU : partie haute du cadre d'une ouverture.
MENEAU : traverse qui divise une baie.
OCULUS : ouverture ronde, souvent petite.
OUTEAU : petite aération d'un toit à forte pente.
RONDE-BOSSE : sculpture en plein-relief.
TOUYA : landes à ajoncs et genêts, sur sols maigres.
TROMPE : petite voûte triangulaire supportant un édifice en surplomb.
TYMPAN : espace entre linteau et rampants d'un fronton, d'un gâble.
VACANTE : terre non cultivée, inoccupée.

TABLE DES MATIÈRES

Les photos des pages 7, 22, 23, 27, 28, 29 *h*, 42, 45, 53 *b*, 55, 95, 96, 114 sont de Jean-Pierre Bouchard.

Carte Patrick Mérienne

Cet ouvrage a été imprimé par Pollina à Luçon - La photogravure est de Photogravure System à Luçon - La photocomposition a été réalisée ρ
Breiz-Compo à Saint-Brieuc - La couverture a été imprimée par l'imprimerie Raynard à La Guerche-de-Bretagne et pelliculée par DCP à Châtea
Gontier - Le brochage a été réalisé par Albo à Luçon - Mise en pages Thierry Jégu, studio des Éditions Ouest-France à Rennes - Prix à la paruti
en France continentale : 54 francs français.

1988 - OUEST-FRANCE - ISBN 2.85882.0104.1 - Dépôt légal : mai 1988 -1431.01.09.05.88